新潮文庫

葉隠入門

三島由紀夫著

新潮社版

2998

目次

葉隠入門

プロローグ 「葉隠」とわたし

若い時代の心の伴侶（はんりょ）としては、友だちと書物とがある。しかし、友だちは生き身のからだを持っていて、たえず変わっていく。ある一時期の感激も時とともにさめ、また別の友だちと、また別の感激が生まれてくる。書物もある意味ではそのようなものである。少年期の一時期に強烈な印象を受け、影響を受けた本も、何年かあとに読んでみると、感興は色あせ、あたかも死骸のように見える場合もないではない。しかし、友だちと書物との一番の差は、友だち自身は変わるが書物自体は変わらないということである。それはたとえ本棚の一隅に見捨てられても、それ自身の生命と思想を埃（ほこり）だらけになって、がんこに守っている。われわれはそれに近づくか、遠ざかるか、自分の態度決定によってその書物を変化させていくことができるだけである。

わたしの少年期は戦争時代に過ごされた。わたしにとってもっとも当時強烈な本は、レーモン・ラディゲの小説「ドルジェル伯の舞踏会」であった。「ドルジェル伯の舞踏会」は古典的な傑作で、いまやフランスでも〝ラディゲはすでにパンテオンにはいった〟といわれている。その作品の芸術的価値に疑いはないが、当時のわたしは半ば不純な読み方をしていたといえる。なぜなら、天才ラディゲは二十歳で死に、そのような傑作を残したので、わたしも二十歳でおそらく戦争で死ぬことになるであろう自分を、ラディゲの像に仮託して、なんとかラディゲを自分のライバルにして、追いつこうとする目標にこの小説を利用していたのである。したがって文学的嗜好が変わり、自分が思いがけず生きのびて戦後の時代に暮らすようになると、おのずからレーモン・ラディゲの本の魅惑はうすれた。

もう一つの本は、空襲のさなかにも持ちあるいていた上田秋成の全集であった。なぜ当時のわたしがそれほど秋成に執着していたか、いまではよくわからない。おそらく秋成の中の反時代的な精神と、芸術的な磨きのかかった一つの結晶ともいうべき短編の技術が、わたしの中で日本的な小説の理想像として育っていたからであろう。秋成に対する尊敬も、ラディゲに対する尊敬も、いまなお変わらないが、その二つは、じょじょにわたしの座右の書ではなくなっていった。

ここにただ一つ残る本がある。それこそ山本常朝の「葉隠」である。戦争中から読みだして、いつも自分の机の周辺に置き、以後二十数年間、折りにふれて、あるページを読んで感銘を新たにした本といえば、おそらく「葉隠」一冊であろう。わけても「葉隠」は、それが非常に流行し、かつ世間から必読の書のように強制されていた戦争時代が終わったあとで、かえってわたしの中で光を放ちだした。「葉隠」は本来そのような逆説的な本であるかもしれない。戦争中の「葉隠」は、いわば光の中に置かれた発光体であったが、それがほんとうに光を放つのは闇の中だったのである。

戦後、わたしはまもなく小説家として出発した。当時のわたしの周辺には、新しい時代の、新しい文学の潮流がうず巻いていた。しかし、このいわゆる戦後文学の時代は、わたしに何らの思想的共感も、文学的共感も与えなかった。ただ、わたしと違った思想的経歴を持ち、わたしと違った文学的感受性を持つ人たちの、エネルギーとバイタリティーだけが、嵐のようにわたしのそばを擦過していった。わたしはもちろん自分の孤独を感じた。そして戦争中から戦後にかけて一貫する自分の最後のよりどころは、何であろうかと考えた。それはマルクスの「資本論」でもなく、また教育勅語でもなかった。その一貫するわたしを支える本こそ、わたしのモラルのもととなり、同時にわたしの独自の青春をまるごと是認するものでなければならなかった。わたしのその孤独と反時代的な立場を、両手でしっかりと支えてくれるものでなければならなかった。のみならず、それは時代にとって禁断の書であるべきであった。「葉隠」

はこのあらゆる要請にこたえていた。なぜなら、当時この一冊の本は、戦時中にもてはやされたあらゆる本と同様に、大ざっぱに荒縄でひっくくられて、ごみための中へ捨てられた、いとうべき醜悪な、忘れ去らるべき汚らわしい本の一つと考えられていたからである。かくて「葉隠」は時代の闇の中で、初めてそのほんとうの光を放ち出した。

わたしが戦争中から「葉隠」に感じていたものは、かえってその時代になってありありとほんとうの意味を示しはじめた。これは自由を説いた書物なのである。これは情熱を説いた書物なのである。「武士道といふは、死ぬ事と見付けたり」という有名な一句以外に「葉隠」をよく読んだことのない人は、いまだに、この本に忌わしいファナティックなイメージを持っている。しかし、「武士道といふは、死ぬ事と見付けたり」というその一句自体が、この本全体を象徴する逆説なのである。わたしはそこに、この本から生きる力を与えられる最大の理由を見いだした。

昭和三十年に「小説家の休暇」という書きおろしの評論を発表したとき、わたしは戦後初めて、自分の「葉隠」への愛着を人にもらした。それは次のようである。

――〈私は戦争中から読みだして、今も時おり「葉隠」を読む。犬儒的な逆説ではなく、行動の知恵と決意がおのずと逆説を生んでゆく、類のないふしぎな道徳書。いかにも精気にあふれ、いかにも明朗な、人間的な書物。

封建道徳などという既成概念で「葉隠」を読む人には、この爽快さはほとんど味わわれぬ。この本には、一つの社会の確乎たる倫理の下に生きる人たちの自由が溢れている。その倫理も、社会と経済のあらゆる網目をとおして生きている。大前提が一つ与えられ、この前提の下に、すべては精力と情熱の賛美である。エネルギーは善であり、無気力は悪である。そしておどろくべき世間智が、いささかのシニシズムも含まれずに語られる。ラ・ロシュフコオを読むときの後味の悪さとまさに対蹠的なもの。「葉隠」ほど、道徳的に自尊心を解放した本はあまり見当たらぬ。精力を是認して、自尊心を否認するというわけには行かない。ここでは行き過ぎということはありえない。高慢ですら（「葉隠」は尤も、抽象的な高慢というものは問題にしない）、道徳的なのである。

「武勇は、我は日本一と大高慢にてなければならず。」「武士たる者は、武勇に大高慢をなし、死狂ひの覚悟が肝要なり。」……正しい狂気、というものがあるのだ。

行動人の便宜主義とでも謂ったものが「葉隠」の生活道徳である。流行については、「されば、その時代時代にて、よき様にするが肝要なり。」と事もなく語られる。便宜主義は、異様な洗練に対する倫理的潔癖さにすぎぬ。「そげ者」であらねばならぬ。

「古来の勇士は、大方そげ者なり。そげ廻り候気情故、気力強くして勇気あり。」

あらゆる芸術作品が時代に対する抵抗から生まれるように、山本常朝のこの聞書も、元禄宝永の華美な風潮を背景に持っていた。（中略）

かくて常朝が、「武士道といふは、死ぬ事と見付けたり」というとき、そこには彼のウトーピッシュな思想、自由と幸福の理念が語られていた。だから今日のわれわれには、これを理想国の物語と読むことが可能なのである。私にも、もしこの理想国が完全に実現されれば、そこの住人は、現代のわれわれよりも、はるかに幸福で自由だということが、ほぼ確実に思われる。しかし確実に存在したのは、常朝の夢想だけである。

「葉隠」の著者は、時代病に対する過激な療法を考えた。人間精神の分裂を予感した彼は、分裂の不幸を警告した。「物が二つになるが悪しきなり。」単純さへの信仰と賛美をよみがえらさねばならぬ。どんな種類の情熱でも、あらゆる本物の情熱に正しさを認めずにはいられぬ彼は、情熱の法則について知悉していた。（中略）

人間の陶冶と完成の究極に、自然死を置くか、「葉隠」のように、斬り死や切腹を置くか、私には大した逕庭がないように思われる。行動家にとって行動が待たれているさまは、人間が「時」に耐えねばならぬという法則を、少しも加減するものではなかった。「二つ二つの場にて、早く死ぬはうに片付くばかりなり。」というとき、この選択には、どんな場合でも自己放棄は最低限度の徳を保障する、という良識が語られているにすぎぬ。そして「二つ二つの場」はなかなかやって来ない。常朝がことさら、「早く死ぬはう」の判断をあげ、その前に当然あるべき、これが「二つ二つの場」かという状況判断を隠していることには意味がある。死の判断を生む状況判断は、永い判断の連鎖をうしろに引き、たえざる判断の鍛練は、行動家が耐えねばならぬ永い緊張と集中の時間を暗示している。行動家の世界は、いつも最後の一点を付加することで完成される環を、しじゅう眼前に描いているようなものである。瞬間瞬間、彼は一点をのこしてつながらぬ環を捨て、つぎつぎと別の環に当面する。それに比べると、芸術家や哲学者の世界は、自分のまわりにだんだんにひろい同心円を、重ねてゆくような構造をもっている。しかし、さて死がやってきたとき、行動家と芸術家にとって、どちらが完成感が強烈であろうか？　私は想像するのに、ただ一点を添加することによって瞬時にその世界を完成する死のほうが、ずっと完成感は強烈ではあるまいか？

　行動家の最大の不幸は、そのあやまちのない一点を添加したあとも、死ななかった場合である。那須の与市は、扇の的を射たあとも永く生きた。「葉隠」の死の教訓は、行為の結果よりも、ただ、行動家の真の幸福を教えたのである。そしてこの幸福を夢想した常朝自身は、四十二歳のとき、鍋島光茂の死に殉じようとして、光茂自身の殉死禁止令によって、死を阻まれた。彼は剃髪出家し、「葉隠聞書」（略して「葉隠」）を心ならずも世にのこして、六十一歳で畳の上で死んだ。〉――

わたしの「葉隠」に対する考えは、今もこれから多くを出ていない。むしろこれを書いたときに、はじめて「葉隠」がわたしの中ではっきり固まり、以後は「葉隠」を生き、「葉隠」を実践することに、情熱を注ぎだした、といえるであろう。つまり、ますます深く、「葉隠」にとりつかれることになったのである。それと同時に、「葉隠」が罵っている「芸能」の道に生きているわたしは、自分の行動倫理と芸術との相剋にしばしば悩まなければならなくなった。文学の中には、どうしても卑怯なものがひそんでいる、という、ずっと以前から培われていた疑惑がおもてに出てきた。わたしが「文武両道」という考えを強く必要としはじめたのも、もとはといえば「葉隠」のおかげである。文武両道ほど、言いやすく行ないがたい道はないことは、百も承知でいながら、そこにしか、自分の芸術家としての生きるエクスキューズはない、と思い定めるようになったのも、「葉隠」のおかげである。

しかしわたしは、芸術というものは芸術だけの中にぬくぬくとしていては衰えて死んでしまう、と考えるものであり、この点でわたしは、世間のいうような芸術至上主義者ではない。芸術はつねに芸術外のものにおびやかされ鼓舞されていなければ、たちまち枯渇してしまうのだ。それというのも、文学などという芸術は、つねに生そのものから材料を得て来ているのであって、その生なるものは母であると同時に仇敵(きゅうてき)であり、芸術家自身の内にひそむものであると同時に、芸術の永遠の反措定(アンチ・テーゼ)なのである。わたしは「葉隠」に、生の哲学を夙(つと)に見いだしていたから、その美しく透明なさわやかな世界は、つねに文学の世界の泥沼を、おびやかし挑発するものと感じられた。その姿をはっきり呈示してくれることにおいて、「葉隠」はわたしにとって意味があるのであり、「葉隠」の影響が、芸術家としてのわたしの生き方を異常にむずかしくしてしまったのと同時に、「葉隠」こそは、わたしの文学の母胎であり、永遠の活力の供給源であるともいえるのである。すなわちその容赦ない鞭(むち)により、叱咤(しった)により、罵倒(ばとう)により、氷のような美しさによって。

一　現代に生きる「葉隠」

戦後二十年の間に、日本の世相はあたかも「葉隠」が予見したかのような形に移り変わっていった。日本にもはや武士はなく、戦争もなく、経済は復興し、太平ムードはみなぎり、青年たちは退屈していた。「葉隠」は前にもいったように、あくまでも逆説的な本である。「葉隠」が黒といっているときには、かならずそのうしろに白があるのだ。「葉隠」が「花が赤い。」というときには、「花は白い。」という世論があるのだ。「葉隠」が「こうしてはならない。」というときには、あえてそうしている世相があるのだ。それやこれやを考えると、現代には、「葉隠」というあの厳しい本の背後に広がっていたその本の内容とは反対の世相、いかなる時代にも、日本人が太平の世に対して示す反応と同じ反応が広がっていた。

それを一つ一つ列挙してみるならば、卑近な例ではこんな一例がある。男性ファッションが、女性ファッションを凌駕(りょうが)するがごとくに盛大になったのは、けっしていまが初めてではない。カルダン・ルックにうつつをぬかす青年たちの姿は、日本の歴史に初めて始まったことではない。元禄時代の華美な風潮は、衣装のみならず、持ち歩く刀のデザイン、鍔や小柄の意匠にまで、こりにこった華美な流行が人々の心を魅惑していた。菱川師宣の「風俗画巻」の花やかな風俗を見るだけでも、町人文化の華美に影響されたその時代の奢侈が想像されよう。

現在、たとえばジャズ喫茶へ行って、ティーンエージャーや二十代前後の青年たちと話していると、話はともするといかにカッコよく見せるかということに終始している。わたし自身の経験だが、あるモダンジャズの店へはいってすわると同時に、隣の青年に話しかけられ、「あなたの靴はオーダーか。どこでオーダーしたか。あなたのそのカフ・リンクスはどこで買ったか。洋服地はどこか。仕立屋はどこか。」と、矢つぎばやに質問をあびせられた。そばにいたまた別の青年が、「おい、こじきみたいな聞き方をするなよ。聞かないでだまってアイデアを盗めばいいじゃないか。」というと、最初の青年は「だって、やっぱりいろいろ質問して学ぶのがほんとうじゃないか。」というのであった。

彼らにとって学ぶとは、いかにカッコよく見せるかということ、男性ファッションの奥義に達することであった。これと同じ例は「葉隠」の、次のような一説に明らかである。

「又三十年以来風規相替はり、若侍どもの出合ひの話に、金銀の噂、損徳の考へ、内証事の話、衣装の吟味、色欲の雑談ばかりにて、この事のなければ一座しまぬ様に相聞え候。是非なき風俗になり行き候。」（聞書第一　一三二頁参照）

また、現代は男性の女性化がしきりにいわれていて、いちがいにアメリカ的民主主義や、レディ・ファーストの影響のように論じられているが、これもいまに始まったことではない。戦国の荒々しい男性的気風をのがれて、徳川幕府の政権が安定したあとでは、たちまち日本の男性の女性化が始まっていた。十八世紀の鈴木春信の浮世絵を見ればわかるが、縁先に梅の花をながめながら寄りそってすわっている男女は、髪型といい、衣装といい、衣装のもようといい、顔つきといい、どこからどう見ても、どちらが男で、どちらが女か見分けがつかない。「葉隠」が書かれた時代には、すでにこの風潮は始まっていた。次のような「女脈」という痛烈なことばを用いた一節を読むがよい。

「或人の咄に、亨庵先年申し候は、『医道に男女を陰陽に当て、療治の差別有る事に候。脈も替り申し候。然るに五十年以来男の脈が女の脈と同じ物になり申し候。爰に気がつき候てより、眼病の療治男の眼も女の療治に仕りて相応と覚え申し候。男に男の療治をして見申し候に、その験これなく候。さては世が末になり、男の気おとろへ、女同前になり候事と存じ候。これは慥かに仕覚え申し候事故、秘事に仕置き候』と申し候由。これに付て今時分の男を見るに、いかにも女脈にてあるべしと思はるるが多く候。あれは男なりと見ゆるはまれなり。（略）」（聞書第一　一一八頁）

　また現代の税制がなかば強制したところの、社用族の発生についても、当時は自分の金と殿様の金との見分けのつかない、社用族的な武士がすでに目についていた。会社ならぬ一つの藩の中でも、若侍たちは、その共同体の理想に挺身するという目的を忘れて、すでに自己一身の保全をしか願わなくなっていた。青年のひとみからも理想のかげは薄れ、現実の瑣末なものにとらわれながら、自己一身の利害しか願わない「掏摸の目遣ひ」の目つきをした若者たちが多くなっていた。

「今時の奉公人を見るに、いかう低い眼の着け所なり。スリの目遣ひの様なり。大かた身のための欲得か、利発だてか、又は少し魂の落ち着きたる様なれば、身構へをするばかりなり。我が身を主君に奉り、すみやかに死に切つて幽霊となりて、二六時中主君の御事を歎き、事を整へて進上申し、御国家を堅むると云ふ所に眼をつけねば、奉公人とは言はれぬなり。（略）」（聞書第一　一一六頁）

　また「葉隠」が口をきわめて、芸能にひいでた人間をののしる裏には、時代が芸能にひいでた人間を最大のスターとする、新しい風潮に染まりつつあることを語っていた。

現代では、野球選手やテレビのスターが英雄視されている。そして人を魅する専門的技術の持ち主が総合的な人格を脱して一つの技術の傀儡(かいらい)となるところに、時代の理想像が描かれている。この点では、芸能人も技術者も変わりはない。

現代はテクノクラシーの時代であると同時に、芸能人の時代である。一芸にひいでたものは、その一芸によって社会の喝采をあびる。同時に、いかに派手に、いかに巨大に見えようとも、人間の全体像を忘れて、一つの歯車、一つのファンクションにみずからをおとしいれ、またみずからおとしいれることに人々が自分の生活の目標を捧(ささ)げている。それと照らし合わせると、「葉隠」の芸能人に対する侮蔑(ぶべつ)は、胸がすくようである。

「芸は身を助くると云ふは、他方の侍の事なり。御当家の侍は、芸は身を亡ぼすなり。何にても一芸これある者は芸者なり、侍にあらず。(略)」(聞書第一　一四二頁)

「生きても死してものこらぬ事ならば生きたがまし。」(聞書第一　一二五頁)という思想は、もちろん「葉隠」の時代にもあった。人間の生の本能は、生きるか死ぬかという場合に、生に執着することは当然である。ただ人間が美しく生き、美しく死のうとするときには、生に執着することが、いつもその美を裏切るということを覚悟しなければならない。美しく死に、美しく生きることは困難であると同様に、徹底的に醜く生き、醜く死ぬことも困難なのが人間というものである。

現代の折衷的な風潮は、美しく生き、美しく死のうとしては、実は醜く死ぬ道を選び、醜く生き、醜く死のうとしては、実は美しく生きる道を模索しているというところにあるのであろう。「葉隠」はこの生死の問題について、実に爽快な決断を下している。「武士道といふは、死ぬ事と見付けたり」という「葉隠」のもっとも有名な一句はこれであって、「二つ二つの場にて、早く死ぬはうに片付くばかりなり。別に仔細なし。胸すわって進むなり。」（聞書第一　一〇五頁）といっている。

恋愛についても「葉隠」は、橋川文三氏のいうように、日本の古典文学の中で唯一の理論的な恋愛論を展開した本といえるであろう。「葉隠」の恋愛は忍恋の一語に尽き、打ちあけた恋はすでに恋のたけが低く、もしほんとうの恋であるならば、一生打ちあけない恋が、もっともたけの高い恋であると断言している。

アメリカふうな恋愛技術では、恋は打ちあけ、要求し、獲得するものである。恋愛のエネルギーはけっして内にたわめられることがなく、外へ外へと向かって発散する。しかし、恋愛のボルテージは、発散したとたんに減殺されるという逆説的な構造をもっている。現代の若い人たちは、恋愛の機会も、性愛の機会も、かつての時代とは比べものにならぬほど豊富に恵まれている。しかし、同時に現代の若い人たちの心の中にひそむのは恋愛というものの死である。もし、心の中に生まれた恋愛が一直線に進み、獲得され、その瞬間に死ぬという経過を何度もくり返していると、現代独特の恋愛不感症と情熱の死が起こることは目に見えている。若い人たちがいちばん恋愛の問題について矛盾に苦しんでいるのは、この点であるといっていい。

かつて、戦前の青年たちは器用に恋愛と肉欲を分けて暮らしていた。大学にはいると先輩が女郎屋へ連れて行って肉欲の満足を教え、一方では自分の愛する女性には、手さえふれることをはばかった。

そのような形で近代日本の恋愛は、一方では売淫行為の犠牲のうえに成り立ちながら、一方では古いピューリタニカルな恋愛伝統を保持していたのである。しかし、いったん恋愛の見地に立つと、男性にとっては別の場所に肉欲の満足の犠牲の対象がなければならない。それなしには真の恋愛はつくり出せないというのが、男の悲劇的な生理構造である。

「葉隠」が考えている恋愛は、そのようななかば近代化された、使い分けのきく、要領のいい、融通のきく恋愛の保全策ではなかった。そこにはいつも死が裏づけとなっていた。恋のためには死ななければならず、死が恋の緊張と純粋度を高めるという考えが「葉隠」の説いている理想的な恋愛である。

以上述べたところでわかるように、「葉隠」はそういう太平の世相に対して、死という劇薬の調合を試みたものであった。この薬は、かつて戦国時代には、日常茶飯のうちに乱用されていたものであるが、太平の時代になると、それは劇薬としておそれられ、はばかられていた。山本常朝の着目は、その劇薬の中に人間の精神を病いからいやすところの、有効な薬効を見いだしたことである。

おそるべき人生知にあふれたこの著者は、人間が生だけによって生きるものではないことを知っていた。彼は、人間にとって自由というものが、いかに逆説的なものであるかも知っていた。そして人間が自由を与えられるとたんに自由に飽き、生を与えられるとたんに生に耐えがたくなることも知っていた。

現代は、生き延びることにすべての前提がかかっている時代である。平均寿命は史上かつてないほどに延び、われわれの前には単調な人生のプランが描かれている。青年がいわゆるマイホーム主義によって、自分の小さな巣を見つけることに努力しているうちはまだしも、いったん巣が見つかると、その先には何もない。あるのはそろばんではじかれた退職金の金額と、労働ができなくなったときの、静かな退職後の、老後の生活だけである。このようなイメージは福祉国家の背後には、つねに横たわって人々の心を脅かしている。スカンジナビア諸国において、もはや働く必要がなくなり、老後の心配がなくなって、社会からただ「休め」と命ぜられている退屈と絶望のあまり、自殺する老人は異常に多く、また福祉国家として戦後一定の理想的水準に達したイギリスでは、労働意欲が失われ、それがさらには産業の荒廃にまで結びついている。

しかし、現代社会の方向には、社会主義国家の理想か、福祉国家の理想か、二つに一つしかないのである。自由のはてには福祉国家の倦怠があり、社会主義国家のはてには自由の抑圧があることはいうまでもない。人間は大きな社会的なヴィジョンを一方の心で持ちながら、そして、その理想へ向かって歩一歩を進めながら、同時に理想が達せられそうになると、とたんに退屈してしまう。他方では、一人一人が潜在意識の中に、深い盲目的な衝動をかくしている。それは未来にかかわる社会的理想とは本質的にかかわりのない、現在の一瞬一瞬の生の矛盾にみちたダイナミックな発現である。青年においては、とくにこれが端的な、尖鋭な形であらわれる。また、その盲目的な衝動が劇的に対立し、相争う形であらわれる。青年期は反抗の衝動と服従の衝動とを同じように持っている。これは自由への衝動と死への衝動といいかえてもよい。その衝動のあらわれが、いかに政治的な形をとっても、その実それは、人間存在の基本的な矛盾の電位差によって起こる電流のごときものと考えてよい。

戦時中には、死への衝動は一〇〇パーセント解放されるが、反抗の衝動と自由の衝動と生の衝動は、完全に抑圧されている。それとちょうど反対の現象が起きているのが戦後で、反抗の衝動と自由の衝動と生の衝動は、一〇〇パーセント満足されながら、服従の衝動と死の衝動は、何ら満たされることがない。十年ほど前に、わたしはある保守系の政治家と話したときに、日本の戦後政治は経済的繁栄によって、すくなくとも青年の生の衝動を満足させたかもしれないが、死の衝動についてはついにふれることなく終わった。しかし、青年の中に抑圧された死の衝動は、何かの形で暴発する危険にいつもさらされていると語ったことがある。

わたしは安保闘争もその極端な電位差の一つのあらわれだと思うのである。安保闘争はじつに政治的に複雑な事件で、あれに参加した青年たちは、何か自分の身を挺するものを捜して参加したにすぎず、かならずしもイデオロギーに支配されたり、あるいは自分で安保条約の条文を精密に研究して行動したわけではなかった。彼らは相反する自分の中の衝動、反抗と死の衝動を同時に満たそうとしたのである。

しかし、安保騒動の挫折(ざせつ)のあとにきたものはさらに悪かった。自分が身を挺した政治的行動は、一種のフィクションであり、死は現実にはこず、そして政治的な結果は何ら満足すべきものではなく、あらゆる行動のエネルギーは、無効であったということが確認されたのである。ふたたび、現代日本において青年たちは、「お前たちがそのために死ぬという目標はないのだぞ。」という宣告を受けたのだった。

トインビーが言っていることであるが、キリスト教がローマで急に勢いを得たについては、ある目標のために死ぬという衝動が、渇望されていたからであった。パックス・ロマーナの時代に、全ヨーロッパ、アジアにまで及んだローマの版図は、永遠の太平を享楽していた。しかし、そこににじむ倦怠をまぬがれたのは、ただ辺境守備兵のみであった。辺境守備兵のみが、何かそのために死ぬ目標を見いだしていたのである。

「葉隠」はしかし、武士というところに前提を持っている。武士とは死の職業である。どんな平和な時代になっても、死が武士の行動原理であり、武士が死をおそれ死をよけたときには、もはや武士ではなくなるのである。そこに山本常朝が、これほどまでに死を行動原理のもとに持ってきた意味があるのだが、現代では、すくなくとも平和憲法下の日本で、死をそのまま職業の目標としている人たちは、たとえ自衛隊員でも原理的にはありえないと考えている。民主主義の時代は生き延びるのが前提である。したがって、この書物を読んでいくときには、まず武士であるかないかという前提の違いが当然問題になる。そして、その前提の違いを一度とび越して読んでいけば、そこにはあらゆる人生知や、現代でも応用できるさまざまな人間関係に関する知恵が働いている。ひととおりこの本の刺激的な、強い、情熱的な、同時に非常に鋭く、緻密で、逆説的な、さわやかな記述を身にあびて通りぬけるときに、また最後にぶつかるのは、その前提の違いである。

「葉隠」のおもしろいところは、前提の違うものから出発して内容に共感し、また最後に前提の違いへきて、はねとばされるというところにあるといってよい。

だが、その前提の違いとは何であろうか。そこでわれわれは、職業や、階級的な差別や、一時代の一定の人間に与えられた条件ということをのり越えて、われわれの日々にも直面せざるをえぬところの、生死の根本的な問題に引きもどされるのである。現代社会では、死はどういう意味を持っているかは、いつも忘れられている。いや、忘れられているのではなくて、直面することを避けられている。ライナ・マリア・リルケは、人間の死が小さくなったということを言った。人間の死は、たかだか病室の堅いベッドの上の個々の、すぐ処分されるべき小さな死にすぎなくなってしまった。そしてわれわれの周辺には、日清戦争の死者をうわまわるといわれる交通戦争がたえず起こっており、人間の生命のはかないことは、いまも昔も少しも変わりはない。ただ、われわれは死を考えることがいやなのである。死から何か有効な成分を引き出して、それを自分に役立てようとすることがいやなのである。われわれは、明るい目標、前向きの目標、生の目標に対して、いつも目を向けていようとする。そして、死がわれわれの生活をじょじょにむしばんでいく力に対しては、なるたけふれないでいたいと思っている。このことは、合理主義的人文主義的思想が、ひたすら明るい自由と進歩へ人間の目を向けさせるという機能を営みながら、かえって人間の死の問題を意識の表面から拭い去り、ますます深く潜在意識の闇へ押し込めて、それによる抑圧から、死の衝動をいよいよ危険な、いよいよ爆発力を内攻させたものに化してゆく過程を示している。死を意識の表へ連れ出すということこそ、精神衛生の大切な要素だということが閑却されているのである。

しかし、死だけは、「葉隠」の時代も現代も少しも変わりなく存在し、われわれを規制しているのである。その観点に立ってみれば、「葉隠」の言っている死は、何も特別なものではない。毎日死を心に当てることは、毎日生を心に当てることと、いわば同じことだということを「葉隠」は主張している。われわれはきょう死ぬと思って仕事をするときに、その仕事が急にいきいきとした光を放ち出すのを認めざるをえない。

われわれの生死の観点を、戦後二十年の太平のあとで、もう一度考えなおしてみる反省の機会を、「葉隠」は与えてくれるように思われるのである。

二 「葉隠」四十八の精髄

「葉隠」と著者、山本常朝

この本の「葉隠」という名は、本来「葉隠聞書」という名であったのを、略して「葉隠」というようになったもので、その名はもとの編纂者(へんさんしゃ)である田代陣基(たしろつらもと)の原本に書いてあったといわれている。しかし、この「葉隠」という名がどういう意味であるかは、昔からいろいろの議論があって定説がない。

いくつかの憶測のうちに、一つは西行法師の「山家和歌集」に「寄残花恋(残花の恋に寄する)」という歌があって、「はかくれに　散り止(とど)まれる花のみぞ　忍びし人にあふ心地する」という歌の意味をとったものであるという説がある。

第二は、「葉隠」は元来蔭(かげ)の奉公を主にした自己犠牲を本意にしたものであるから、それを葉隠の草庵(そうあん)で語りつ、聞きうつした聞書きであるという意味で、「葉隠」といわれたという説がある。

第三には、著者常朝の草庵の近くに「はがくし」という柿があったので、その柿の名をとったのではないかという説がある。

第四にこのような説がある。徳川時代の鍋島公の居城佐賀は、木が多いので一名「葉隠城」と呼ばれ、またそこの藩士を「葉隠れ武士」と呼ぶようになった。それが「葉隠」のもとであるという説もあるが、事実、佐賀城は堀の隅に大木が繁って木につつまれたような城ではあるが、佐賀の出身者はこれを「葉隠城」と呼んだことは知らないと言っているので、これも一つの憶測にすぎない。

「葉隠聞書」という本は、そもそも座談の筆記である。元禄十三年（一七〇〇年）佐賀の藩士山本常朝という人が、その仕えた主君鍋島光茂（第二代佐賀藩主）が亡くなったあと出家して、人里離れた佐賀の黒土原（くろつちばる）というところに草庵をむすんで隠遁（いんとん）生活にはいった。それから十年後の宝永七年（一七一〇年）の春に、若い佐賀の藩士田代陣基という人が常朝の草庵を訪ねて、その語るところを筆記して、七年の歳月をかけて十一巻に編纂したものを「葉隠聞書」と呼んだわけである。常朝はその筆記を火中に投じて焼けと命じたが、田代陣基は命令にそむいてひそかに保存していたのが、いつとはなしに佐賀の藩士の間に筆写されて、それが「鍋島論語」などと呼ばれて尊重されるようになったのである。

ただの聞書きではなく、編集にも構成の苦心が払われていて、だいたい、次のような構成になっている。

第一巻（聞書第一）、第二巻（聞書第二、以下同じ）は常朝自身の教訓である。第三巻、第四巻、第五巻は、鍋島直茂（藩祖）、勝茂（第一代佐賀藩主）、光茂、綱茂（第三代佐賀藩主）などの言行である。第六巻から第九巻までは佐賀藩のこと、および佐賀藩士の言行である。第十巻は他国の武士の言行その他であり、第十一巻は前十巻の補遺に当たっている。

結局、この本の中心をなすものは第一巻、第二巻の常朝自身の教訓のことばで、ここに彼の思想が躍動しているわけである。しかしこの中の座談の順序は、かならずしも時間的序列に従ってはいないらしい。「葉隠」第一巻の初めに「宝永七年三月五日、初めて参会し……」と書いてあるが、これがすなわち田代又左衛門陣基が、初めて山本常朝の草庵をおとずれて、座談を聞きだした第一回の記念すべき日である。

常朝は、佐賀藩主鍋島家第二代光茂という殿様に仕えた人で、幼少より四十二歳まで側近に奉仕した。先祖代々鍋島家に功績があり、常朝自身も主君の厚い信任を受けていた。当然五十歳にもなれば家老にもなり、国政の重鎮になるべき人であったが、四十二歳の時に主君が亡くなられたので、志を達することができなかった。常朝自身は主君に殉死する覚悟をきめていた。しかし鍋島光茂は天下に先んじて殉死をかたく禁止し、もし殉死をあえてするものがあれば、家名を断絶するという厳命をくだしたのである。わが身一身よりも家名を重しとする当時の風潮によって、常朝もついに殉死ができず、出家して隠遁生活にはいり、それから二十年後享保四年（一七一九年）十月十日に、六十一歳で世を去った。

「葉隠聞書」は、常朝の五十二歳のときに始まって、七年を経て享保元年九月十日に終わったといわれている。これはあたかもゲーテの「エッケルマンとの対話」にも似て、話を聞いたもの、すなわち筆記者の鋭敏な感受性と編集の能力が大いにものをいっている。

筆記者・田代又左衛門陣基はご祐筆などをつとめ、その当時三十二、三歳の壮年で、常朝よりも二十年年少であった。前にもいったが、当時の元禄、宝永のころは、元和偃武以来すでに八十余年を経過して、儒学や軍学や士道論なども起こる一方、蕉風の俳諧や近松の戯曲、西鶴の小説なども起こって一種のルネッサンスの風潮があり、町人ばかりか武士までも歌舞音曲にうき身をやつしたり、戦国剛健の気風が衰えきった時代であって、その士道論や儒学、軍学自体も、いたずらな観念論にふける傾きがあった。「葉隠」の祖述者山本神右衛門常朝は、万治二年（一六五九年）六月十一日に、佐賀片田江横小路に生まれ、享保四年十月十日に六十一歳で死んだことは前にも述べたとおりであるが、いま少し詳しくその経歴を述べると、父、山本神右衛門重澄の二男四女の末子であった。父、重澄は中野神右衛門清明の次男で、山本助兵衛宗春の養子となったものである。神右衛門という名は藩主の命によって名づけられたもので、中野清明が第一代の神右衛門、山本重澄が第二代、常朝が第三代で、これを中野三代と称した。

常朝は十一歳で父を失い、自分より二十歳も年長の甥山本五郎左衛門常治に兄事していろいろな教訓を受け、また石田一鼎、湛然和尚らについて儒仏の教えを受けながら、幼いときから藩主の側近に奉仕していたので、学問に専念するわけにはいかなかった。また湛然和尚には深く帰依して、引退後も湛然和尚の感化で禅の奥義に達したものと思われる。

常朝は武芸にもひととおりの心得があって、二十四歳のとき従兄の切腹の介錯をしたこともある。俳句や和歌も巧みで、主君、光茂公の命で京都に行って、公のために西三条実教卿から和歌古今伝授一札を受け、また彼自身も実教卿に教えを受けることが多かった。

出家後の常朝は旭山常朝と号して、その庵を朝陽軒と名づけ、了為和尚とともに移って隠遁生活にはいったが、後に朝陽軒は宗寿庵と改められた。正徳三年（一七一三年）八月、光茂公の室霊寿院が、その地、黒土原に葬られたので、これをはばかって近村の春日村大小隈に移り住んだ。

常朝には、ほかに「愚見集」という著書があり、宝永五年二月、五十歳のとき、養子権之丞に書いて与えたものである。常朝には二人の娘があったが、長女は夭折、次女に養子を迎えたが、ともに常朝に先立って世を去った。

「葉隠」三つの哲学

わたしが考えるのに、「葉隠」はこれを哲学書と見れば三大特色を持っている。一つは行動哲学であり、一つは恋愛哲学であり、一つは生きた哲学である。

第一に行動哲学という点では、「葉隠」はいつも主体を重んじて、主体の作用として行動を置き、行動の帰結として死を置いている。あくまでおのれから発して、おのれ以上のものに没入するためのもっとも有効なる行動の基準を述べたものが「葉隠」の哲学である。したがって、そこには第三者の立場で、Aなる要素とBなる要素をつき合わせたり、Aなる勢力とBなる勢力をあやつったりする、マキャベリズムの哲学は出てこない。これはあくまで主観哲学であって、客観哲学ではないのである。行動哲学であって政治哲学ではないのである。

戦時中、政治的に利用された点から、「葉隠」を政治的に解釈する人がまだいるけれども、「葉隠」には政治的なものはいっさいない。武士道そのものを政治的な理念と考えれば別であるが、一定の条件下に置かれた人間の行動の精髄の根拠をどこに求めるべきかということに、「葉隠」はすべてをかけているのである。これは条件を替えれば、そのままほかの時代にも妥当するような普遍性のある教説であると同時に、また個々人が実践をとおして会得するところの、個々人の実践的努力に任せられた実践哲学であるということができる。

第二に「葉隠」は、また恋愛哲学である。恋愛という観念については、日本人は特殊な伝統を経へ、特殊な恋愛観念を育ててきた。日本には恋はあったが愛はなかった。西欧ではギリシャ時代にすでにエロース（愛）とアガペー（神の愛）が分けられ、エロースは肉欲的観念から発して、じょじょに肉欲を脱してイデアの世界に参入するところの、プラトンの哲学に完成を見いだした。一方アガペーは、まったく肉欲と断絶したところの精神的な愛であって、これは後にキリスト教の愛として採用されたものである。

したがって、ヨーロッパの恋愛理念にはアガペーとエロースが、いつも対立概念としてとらえられていた。ヨーロッパ中世騎士道における女性崇拝には、マリア信仰がその基礎にあったが、同時に、そこにはエロースから断絶されたところのアガペーが強く求められていた。

ヨーロッパ近代理念における愛国心も、すべてアガペーに源泉を持っているといってよい。しかし日本では極端にいうと国を愛するということはないのである。女を愛するということはないのである。日本人本来の精神構造の中においては、エロースとアガペーは一直線につながっている。もし女あるいは若衆に対する愛が、純一無垢(むく)なものになるときは、それは主君に対する忠と何ら変わりはない。このようなエロースとアガペーを峻別(しゅんべつ)しないところの恋愛観念は、幕末には「恋闕(れんけつ)の情」という名で呼ばれて、天皇崇拝の感情的基盤をなした。いまや、戦前的天皇制は崩壊したが、日本人の精神構造の中にある恋愛観念は、かならずしも崩壊しているとはいえない。それは、もっとも官能的な誠実さから発したものが、自分の命を捨ててもつくすべき理想に一直線につながるという確信である。

「葉隠」の恋愛哲学はここに基礎を置き、当時女色よりも高尚であり、精神的であると見なされた男色を例に引いて、人間の恋のもっとも真実で、もっとも激しいものが、そのまま主君に対する忠義に転化されると考えている。

第三、生きた哲学。「葉隠」は一つの厳密な論理体系ではない。第一巻、第二巻の常朝の言行の部分を見ても、あらゆるところに矛盾衝突があり、一つの教えがまた別の教えでくつがえされていると見ることができる。根本的には「武士道といふは、死ぬ事と見付けたり」という「葉隠」のもっとも有名なことばは、そのすぐ裏に、次のような一句を裏打ちとしているのである。

「人間一生誠に纔の事なり。好いた事をして暮すべきなり。夢の間の世の中に、すかぬ事ばかりして苦を見て暮すは愚なることなり。この事は、悪しく聞いては害になる事故、若き衆などへ終に語らぬ奥の手なり。」（聞書第二一八二頁）と言っている。すなわち「武士道といふは、死ぬ事と見付けたり」は第一段階であり、「人間一生誠に纔の事なり。好いた事をして暮すべきなり。」という理念は、その裏であると同時に奥義であり、第二段階なのである。「葉隠」は、ここで死と生とを楯の両面に持った生ける哲学としての面を明らかにしている。

一方では、死ぬか生きるかのときに、すぐ死ぬほうを選ぶべきだという決断をすすめながら、一方ではいつも十五年先を考えなくてはならない。十五年過ぎてやっとご用に立つのであって、十五年などは夢の間だということが書かれている。これも一見矛盾するようであるが、常朝の頭の中には、時というものへの蔑視があったのであろう。時は人間を変え、人間を変節させ、堕落させ、あるいは向上させる。しかし、この人生がいつも死に直面し、一瞬一瞬にしか真実がないとすれば、時の経過というものは、重んずるに足りないのである。重んずるに足りないからこそ、その夢のような十五年間を毎日毎日これが最後と思って生きていくうちには、何ものかが蓄積されて、一瞬一瞬、一日一日の過去の蓄積が、もののご用に立つときがくるのである。これが「葉隠」の説いている生の哲学の根本理念である。

では次に、このようにいきいきとした、矛盾にみちた「葉隠」の哲学について、「葉隠」のいわば精髄をとりあげ、一つ一つ、聞書の順序にしたがって、わたしの考えを述べていこう。

一　エネルギーの賛美

前書き（夜陰の閑談）にある部分で、「（略）成仏などは嘗て願ひ申さず候。七生迄も鍋島侍に生れ出で、国を治め申すべき覚悟、胆に染み罷り在るまでに候。気力も器量も入らず候。一口に申さば、御家を一人して荷ひ申す志出来申す迄に候。同じ人間が誰に劣り申すべきや。惣じて修行は、大高慢にてなければ役に立たず候。我一人して御家を動かさぬとかからねば、修行は物にならざるなり。(略)」(二〇〇頁) と言っている。

「葉隠」は、一面謙譲の美徳をほめそやしながら、一面人間のエネルギーが、エネルギー自体の原理に従って、大きな行動を成就するところに着目した。エネルギーには行き過ぎということはあり得ない。獅子(しし)が疾走していくときに、獅子の足下に荒野はたちまち過ぎ去って、獅子はあるいは追っていた獲物をも通り過ぎて、荒野のかなたへ走り出してしまうかもしれない。なぜならば彼が獅子だからだ。

これが、人間の行動の大きな源泉的な力になっているというところに、常朝は目をつけた。もし、謙譲の美徳のみをもって日常をしばれば、その日々の修行のうちから、その修行をのり越えるような激しい行動の理念は出てこない。それが大高慢にてなければならぬといい、わが身一身で家を背負わねばならぬということの裏づけである。彼はギリシャ人のようにヒュブリス(傲慢(ごうまん))というものの、魅惑と光輝とそのおそろしさをよく知っていた。

二 決断

「武士道といふは、死ぬ事と見付けたり。二つ二つの場にて、早く死ぬはうに片付くばかりなり。別に仔細なし。胸すわって進むなり。図に当らぬは犬死などといふ事は、上方風の打ち上りたる武道なるべし。二つ二つの場にて、図に当ることのわかることは、及ばざることなり。我人、生くる方がすきなり。多分すきの方に理が付くべし。若し図にはづれて生きたらば、腰抜けなり。この境危ふきなり。図にはづれて死にたらば、犬死気違なり。恥にはならず。これが武道に丈夫なり。毎朝毎夕、改めては死に改めては死に、常住死身になりて居る時は、武道に自由を得、一生越度なく、家職を仕果すべきなり。」(聞書第一　一〇五頁)

常住死身になることによって自由を得るというのは、「葉隠」の発見した哲学であった。死を心に当てて万一のときには死ぬほうに片づくばかりだと考えれば、人間は行動を誤ることはない。もし人間が行動を誤るとすれば、死ぬべきときに死なないことだと常朝は考えた。しかし、人間の死ぬときはいつもくるのではない。死ぬか生きるかの決断は、一生のうちについにこないかもしれない。常朝自身がそうであったように、彼が六十一歳で畳の上で死んだときに、あれほど日々心に当てた死が、ついにはこのような形で自分をおそってくることになるのを、どのような気持ちで迎えたであろうか。

しかし、常朝は決断としての死を言っているので、自然におそってくる死について言ったのではなかった。彼は病死の心がまえについて言ったのではなく、自発的な死についての心がまえについて言ったのだった。なぜならば、病死は自然死であり、自然の摂理であるが、自発的な死は人間の意思にかかわりのあることなのである。そして人間の自由意思の極致に、死への自由意思を置くならば、常朝は自由意思とは何かということを問うたのであった。それは、行動的な死（斬り死）と自殺（切腹）とを同列に置く日本独特の考え方であり、切腹という積極的な自殺は、西洋の自殺のように敗北ではなく、名誉を守るための自由意思の極限的なあらわれである。常朝の言っている「死」とは、このような、選択可能な行為なのであり、どんなに強いられた状況であっても、死の選択によってその束縛を突破するときは、自由の行為となるのである。しかし、それはあくまでも理想化された死の形態であって、死はいつもこのような明快な形では来ないことを常朝はよく知っていた。死＝選択＝自由という図式は、武士道の理想的な図式であっても、現実の死はかならずしもそのようなものでないことを知っていた常朝の深いニヒリズムを、この裏に読みとらねばならない。

三　デリカシー

男の世界は思いやりの世界である。男の社会的な能力とは思いやりの能力である。

武士道の世界は、一見荒々しい世界のように見えながら、現代よりももっと緻密な人間同士の思いやりのうえに、精密に運営されていた。常朝は人に意見をするにも、次のような配慮と、次のようなデリカシーをつぶさに説いている。

「人に意見をして疵を直すと云ふは大切なる事にして、然も大慈悲にして、御奉公の第一にて候。意見の仕様、大いに骨を折ることなり。およそ人の上の善悪を見出すは易き事なり。それを意見するもまた易き事なり。大かたは、人の好かぬ云ひにくき事を云ふが親切のやうに思ひ、それを請けねば、力に及ばざる事と云ふなり。何の益にも立たず。ただ徒に、人に恥をかかせ、悪口すると同じ事なり。我が胸はらしに云ふまでなり。そもそも意見と云ふは、先づその人の請け容るるか、請け容れぬかの気をよく見分け、入魂になり、此方の言葉を平素信用せらるる様に仕なし候てより、さて次第に好きの道などより引き入れ、云ひ様種々に工夫し、時節を考へ、或は文通、或は雑談の末などの折に、我が身の上の悪事を申出し、云はずして思ひ当る様にか、又は、先づよき処を褒め立て、気を引き立つ工夫を砕き、渇く時水を飲む様に請合せて、疵を直すが意見なり。されば殊の外仕にくきものなり。（略）」（聞書第一　一〇九頁）

忠告は無料である。われわれは人に百円の金を貸すのも惜しむかわりに、無料の忠告なら湯水のごとくそそいで惜しまない。しかも忠告が社会生活の潤滑油となることはめったになく、人の面目をつぶし、人の気力を阻喪させ、恨みをかうことに終わるのが十中八、九である。常朝はこのことをよく知っていた。彼が人に忠告を与えることについての、この心こまかな配慮をよく見るがよい。そこには、人間心理についての辛辣なリアルな観察の裏づけがあるのであって、常朝はけっして楽天的な説教好き（人間性にもっとも無知な人びと）の一人ではなかった。

四　実践

常朝は日常生活のこまかなことについても、役に立つ、さまざまなヒントを与えている。

「人中にて欠伸仕り候事、不嗜なる事にて候。不図欠伸出で候時は、額を撫で上げ候へば止み申し候。さなくば舌にて唇をねぶり口を開かず、又襟の内袖をかけ、手を当てなどして、知れぬ様に仕るべき事に候。くさめも同然にて候。阿呆気に見え候。この外にも心を付け嗜むべき事なり。

翌日の事は、前晩よりそれぞれ案じ、書きつけ置かれ候。これも諸事人より先にはかるべき心得なり。（略）」（聞書第一　一一一及び一一二頁）

あくびをとめることはきょうにも実行できることである。わたしは戦争中からこれを読んで、あくびが出そうになると上唇をなめてあくびをがまんした。ことに戦中には大事な講話の最中にあくびをしてさえ叱責を受けたので、常朝の教えははなはだ有効であった。いまもわたしが実行していることは、「翌日のことは、前晩よりそれぞれ案じ」という常朝の教えである。わたし自身はあくる日の予定を前の晩にこまかくチェックして、それに必要な書類、伝言、あるいはかけるべき電話などを、前の晩に書きぬいて、あくる日にはいっさい心をわずらわせぬように、スムーズにとり落としなく仕事が進むように気をつけている。これはわたしが「葉隠」から得た、はなはだ実際的な教訓の一つである。

五　寛容

常朝は、けっして人を責めるに厳ではなかった。そして手ごころということを知っており、次のように言っている。

「何某(なにがし)当時倹約を細かに仕る由申し候へば、よろしからざる事なり。水至つて清ければ魚棲(す)まずと云ふことあり。およそ藻(も)がらなどのあるにより、その蔭(かげ)に魚はかくれて、成長するものなり。少々は、見のがし聞きのがしある故に、下々は安穏なるなり。人の身持なども、この心得あるべき事なり。」(聞書第一　一一五頁)

徳川時代には、たびたびの倹約令が出て武士は節倹を本位とし、いまの大衆消費時代とはまったく反対の、きゅうくつきわまる生活を生きていたように思われている。この考えは近時の戦争中にもなお続いていた。ただひたすらにぜいたくを押え、節約につとめれば、それがモラルであると考えられていた。戦後の工業化の進展によって、大衆消費の時代がきて、このような日本人独特の倹約のモラルは一掃されたように見えた。

「葉隠」は、一方的な、儒教的なかた苦しい倹約道徳に対して、初めから自由な寛容な立場を保っていた。あくまでも明快な行動、豪胆な決断を目標とした葉隠哲学は、重箱の隅をほじくるような、官僚的な御殿女中的な倹約道徳とは無縁であった。そして、その思いやりの延長上におのずから、見のがし、聞きのがしという、生活哲学を持ち出している。そして見のがし、聞きのがしという生活哲学は、かた苦しい倹約哲学の裏側にあって、いつも日本人の心に生きていたものであった。現代では、見のがし、聞きのがしの度が過ぎて、すべて見のがし、聞きのがしのほうがもとになってしまったことから、「黒い霧」といわれるまでの道徳的腐敗が惹起(じゃっき)されることになった。それは寛容ではなくて、ただルーズだというだけだ。きびしいモラルの規制があるから、見のがし、聞きのがしが人間的になるのであり、そういうモラルの崩壊したところでは、見のがし、聞きのがしは、非人間的にさえなるのである。

六 女性

「葉隠」の女性に対する意見ははなはだ貧弱である。「(略) 女は第一に、夫を主君の如く存ずべき事なり。」(聞書第二) と言っている。

「葉隠」がいろいろな点で、ギリシャ、ことにスパルタの哲学と似ているのは、ギリシャにおいては、妻は家のかまどの神を守って、あくまで家の中にいて、育児と家事に専念し、夫を尊敬することだけを求められた時代であった。と同時に、男は外出して恋愛は美少年と、遊蕩は教養ある遊女ヘタイラとこれを行なった。「葉隠」の女性観念は大体ここらにあると考えてよい。

七 ニヒリズム

「幻はマボロシと訓むなり。天竺にては術師の事を幻出師と云ふ。世界は皆からくり人形なり。幻の字を用ひるなり。」(聞書第一 一二〇頁)

常朝は、たびたびこの世をからくりであると言い、人間をからくり人形であると言っている。彼の心底には深い透徹した、しかし男らしいニヒリズムがあった。彼は現世の直下に、現世の一瞬一瞬に生の意味を求めながらも、現世自体を夢の世と感じた。ニヒリズムについては、また別の項で後述する。

八　義の客観性

「不義を嫌うて義を立つる事成りがたきものなり。然れども、義を立つるを至極と思ひ、一向に義を立つる故に却つて誤多きものなり。義より上に道はあるなり。これを見付くる事容易に成りがたし。高上の賢智なり。これより見る時は、義などは細きものなり。こは我が身に覚えたる時ならでは、知れざるものなり。但し我こそ見付くべき事成らずとも、この道に到り様はあるものなり。そは人に談合なり。たとへ道に至らぬ人にても、脇から人の上は見ゆるものなり。碁に脇目八目と云ふが如し。念々非を知ると云ふも、談合に極るなり。話を聞き覚え、書物を見覚ゆるも、我が分別を捨て、古人の分別に付く為なり。」（聞書第一　二二〇頁）

正義というものの相対性について、「葉隠」はこの項目では、あたかも民主主義の政治理念に近づいている。おのれの信ずる正義が確認され、実証されるためには、第三者の判断をまたなければならないというのが民主主義の理念である。「葉隠」は、これほど激しい行動哲学を教えながら、よってもってたつ義については、いつも疑問を残していた。行動の純粋さは主観の純粋さである。しかし、もし行動が義を根拠にするならば、その義の純粋さは別の方法で確かめられなければならない。行動自身の純粋さを行動で確かめるとともに、常朝は義の純粋さは別の方途によらなければならぬことを知っていた。それが談合ということである。傍目八目のみが、ある正義に惑溺した人間をすくうことができる。

「葉隠」はこういう意味でイデオロギー的に、相対的な立場に立つものだということができる。

九 世間知

「直茂公の御壁書に『大事の思案は軽くすべし。』とあり。一鼎の註には、『小事の思案は重くすべし。』と致され候。およそ大事と云ふは、二三箇条ならではあるまじく候。これは平生に詮議して見れば知れてゐることなり。これを前もつて思案し置きて、大事の時取り出して軽くする事と思はるるなり。兼ては不覚悟にして、その場に臨んで軽く分別する事も成りがたく、図に当る事不定なり。然れば兼て地盤を堅固に据ゑて置くが『大事の思案は軽くすべし。』と仰せられ候箇条の基と思はるる事なり。」

(聞書第一　一二四頁)

思想は覚悟である。覚悟は長年にわたって日々確かめられなければならない。常朝は大思想と小思想を分けているように思われる。つまり大思想は平生から準備されて、行動の決断の瞬間にあたっては、おのずから軽々と成就されなければならない。小思想はその時その時の小事に関する思想である。プロスペル・メリメがかつて言ったが、〝小説家というものはどんな小さいものにも理論を持っていなければならない。たとえば手袋一つにも理論を持っていなければならない。〟小説家にかぎらず、われわれは生き、生を享楽する側面では小さな事柄にも常に理論を持ち、判断を働かせ、決断をくだしていかなければならない。もしそれをゆるがせにすれば、生活の体系は崩れ、大思想さえ侵されてしまうことがある。イギリス人はお茶を飲むときに、「ミルク・ファースト」か「ティー・ファースト」か聞いてまわる。一つの茶わんの中にミルクを先に入れても、お茶を先に入れても同じようであるが、その小さな事柄の中に、イギリス人の生活の理念が確固としてあるのである。あるイギリス人にとっては、自分は紅茶茶わんに先にミルクを入れて、あとからお茶を入れるべきであるにもかかわらず、もし人が先に紅茶を入れて、あとからミルクを入れれば、自分のもっとも重大な思想を侵される第一歩と考えるにちがいない。

常朝が言っている「小事の思案は重くすべし。」というのは、アリの穴から堤防が崩れるように、日常坐臥の小さな理論、小さな思想を重んじたことと考えられる。それが現代のようにイデオロギーのみが重んじられて、日常生活の瑣末のしきたりが軽んじられている、倒錯した時代に対するよい教訓なのである。

十　準備と決断

第九項で述べた、日々に覚悟をきめていかねばならぬ大きな思想の根源は、「葉隠」にとっては武士道において死ぬことであった。

「(略)就中、武道は今日の事も知らずと思うて、日々夜々に箇条を立てて吟味すべき事なり。時の行掛りにて勝負はあるべし。恥をかかぬ仕様は別なり。死ぬ迄なり。その場に叶はずば打返しなり。これには知恵も業も入らぬなり。曲者といふは勝負を考へず、無二無三に死狂ひするばかりなり。これにて夢覚むるなり。」(聞書第一　二八頁)

長い準備があればこそ決断は早い。そして決断の行為そのものは自分で選べるが、時期はかならずしも選ぶことができない。それは向こうからふりかかり、おそってくるのである。そして生きるということは向こうから、あるいは運命から、自分が選ばれてある瞬間のために準備することではあるまいか。「葉隠」は、そのような準備と、そして向こうから運命がおそってきた瞬間における行動を、あらかじめ覚悟し、規制することに重点を置いている。

十一　常住の死と覚悟

この第九項、第十項に述べたことを「葉隠」はさらに詳しく、具体的に叙述している。

「五六十年以前迄の士は、毎朝、行水、月代、髪に香をとめ、手足の爪を切つて軽石にて摺り、こがね草にて磨き、懈怠なく身元を嗜み、尤も武具一通りは錆をつけず、埃を払ひ、磨き立て召し置き候。身元を別けて嗜み候事、伊達のやうに候へども、風流の儀にてこれなく候。今日討死討死と必死の覚悟を極め、若し無嗜みにて討死いたし候へば、かねての不覚悟もあらはれ、敵に見限られ、穢なまれ候故に、老若ともに身元を嗜み申したる事にて候。事むつかしく、隙つひえ申すやうに候へども、武士の仕事は斯様の事にて候。別に忙はしき事、隙入る事もこれなく候。常住討死の仕組に打ちはまり、篤と死身に成り切つて、奉公も勤め、武辺も仕り候はば、恥辱あるまじく、斯様の事を夢にも心つかず、欲得我が儘ばかりにて日を送り、行当りては恥をかき、それも恥とも思はず、我さへ快く候へば、何も構はずなどと云つて、放埒無作法の行跡になり行き候事、返す返す口惜しき次第にて候。平素必死の覚悟これなき者は、必定死場悪しきに極り候。又かねて必死に極め候はば、何しに賤しき振舞あるべきや。このあたり、よくよく工夫仕るべき事なり。又三十年以来風規相替はり、若侍どもの出合ひの話に、金銀の噂、損徳の考へ、内証事の話、衣装の吟味、色欲の雑談ばかりにて、この事のなければ一座しまぬ様に相聞え候。是非なき風俗になり行き候。昔は二十、三十ども迄は素より心の内に賤しき事持ち申さず候故、詞にも出し申さず候。年輩の者も不図申し候へば、怪我の様に覚え居り申し候。これは世上花麗になり、内証方ばかりを肝要に目つけ候故にてこれあるべく候。（略）」（聞書第一　一三一頁）

十二　酒席の心得

日本人の酒席の乱れは国際的に有名である。体力の差もあろうが、西欧社会では紳士が酒席で乱れて醜態を演ずるということは、許すべからざることとされ、一方ではアルコール中毒患者は世間から敗残者と見なされて、酒びんを片手に持ちながら、アルコール中毒患者ばかりの集まる一角に、亡霊のように蹌踉と歩んでいる姿を見ることができる。

日本では、酒席は人間がはだかになり、弱点を露呈し、どんな恥ずかしいことも、どんなぐちめいたこともあけっぴろげに開陳して、しかもあとでは酒の席だということで許されるという不思議な仕組みができている。新宿にバーが何軒あるか知らないが、その膨大な数のバーでサラリーマンたちが、今夜もまた酒を前にして女房の悪口を言い、上役の悪口を言っている。そして酒席の話題は、ことに友だちの間では、男らしくもないぐちや、だらしのない打ちあけ話や、そしてあくる朝になれば実際は忘れていないのに、お互いに忘れたという約束事の上に成り立つところの、小さな、卑しい秘密の打ちあけ場所になっている。

つまり、日本における酒席とは、実際は純然たるプライベートな場所ではないにもかかわらず、パブリックな場所で、人前でありながらプライベートであるという擬制をとるような場所なのである。人が聞いていても聞かぬふりをし、耳に痛くても痛くないふりをし、酒の上ということですべてが許される。しかし「葉隠」は、あらゆる酒の席を晴れの場所、すなわち公界（くがい）と呼んでいる。武士はかりにも酒のはいった席では、心を引き締めていましめなければならないと教えている。これはあたかもイギリスのゼントルマンシップと同様である。

「大酒（たいしゅ）にて後れを取りたる人数多（あまた）なり。別して残念の事なり。先づ我が丈け分（ぶん）をよく覚え、その上は飲まぬ様にありたきなり。その内にも、時により、酔ひ過す事あり。

酒座にては就中気をぬかさず、不図事出来ても間に合ふ様に了簡これあるべき事なり。又酒宴は公界ものなり。心得べき事なり。」（聞書第一　一三五頁）

しかし「葉隠」がこのように言っているのは、これと反対の事例が、いま同様いかに多かったかを証明するものでしかない。

十三　外見の道徳

ルース・ベネディクトは「菊と刀」という有名な本の中で、日本人の道徳を「恥の道徳」と規定した。この規定自体にはいろいろ問題があるが、武士道の道徳が外面を重んじたことは、戦闘者、戦士の道徳として当然のことである。なぜなら戦士にとっては、つねに敵が予想されているからである。戦士は敵の目から恥ずかしく思われないか、敵の目から卑しく思われないかというところに、自分の体面とモラルのすべてをかけるほかはない。自己の良心は敵の中にこそあるのである。このように自分の内面にひきこもった道徳でなくて、外面へあずけた道徳が「葉隠」の重要な特色をなすものである。そして道徳史を考える場合に、どちらの道徳が実際的に有効であったかはいちがいに言うことはできない。キリスト教でも、教会に自分の道徳の権威をあずけたカソリックは、むしろ人々を安息の境地に置いたが、すべてを自分の良心一個に背負ってしまったプロテスタントの道徳は、その負荷に耐えぬ弱者の群をおしつぶして、アメリカで見られるごとく無数のノイローゼ患者を輩出するもととなった。

「葉隠」にいわく「人の難に逢うたる折、見舞に行きて一言が大事の物なり。その人の胸中が知るるものなり。兎角武士は、しほたれ草臥れたるは疵なり。勇み進みて、物に勝ち浮ぶ心にてなければ、用に立たざるなり。人をも引立つる事これあるなり。」(聞書第一 一三六頁)

「武士はしほたれ、草臥れたるは疵なり。」というのは、同時にしおたれて見え、くたびれて見えるのはきずだということを暗示している。なによりもまず外見的に、武士はしおたれてはならず、くたびれてはならない。人間であるからたまにはしおたれることも、くたびれることも当然で、武士といえども例外ではない。しかし、モラルはできないことをできるように要求するのが本質である。そして武士道というものは、そのしおたれ、くたびれたものを、表へ出さぬようにと自制する心の政治学であった。健康であることよりも健康に見えることを重要と考え、勇敢であることよりも勇敢に見えることを大切に考える、このような道徳観は、男性特有の虚栄心に生理的基礎を置いている点で、もっとも男性的な道徳観といえるかもしれない。

十四　行き過ぎの哲学

第一項にも言ったように、いったん行動原理としてエネルギーの正当性を認めれば、エネルギーの原理に従うほかはない。それのみが獅子が獅子であることを証明するのである。常朝は行き過ぎということを精神の大事なスプリングボードと考えた。それが次のような記述になってあらわれる。

「中道は物の至極なれども、武辺は、平生にも人に乗り越えたる心にてなくては成るまじく候。弓指南に、左右ろくのかねを用ふれども、右高(みぎだか)になりたがるゆゑ、右低(みぎひく)に射さする時、ろくのかねに合ふなり。軍陣にて、武功の人に乗り越ゆべきと心掛け、強敵を討ち取るべしと、昼夜望みをかくれば、心猛(たけ)く草臥(くたびれ)もなく、武勇を顕(あら)はす由、老士の物語なり。平生にもこの心得あるべきなり。」(聞書第一　一三八頁)

十五　子供の教育

西欧社会における子供の教育は、同じアングロサクソンの中でも、イギリス式とアメリカ式でははっきり二分される。イギリスの伝統的な教育では、子供はおとなの宴席にはべっても、いっさいおとなの会話に口出しをしてはならない。また、子供同士の会話でおとなの会話を攪乱してはならない。子供は無言をしいられ、そして、そのことによって社会的な訓練を経、自分が一人前の紳士として発言する機会に備えるのである。

アメリカ的教育では、子供は社会的訓練のためにむしろ積極的に発言することを要求される。おとなは子供の会話を聞いてやり、おとなとともに子供はディスカッションをし、それによって子供は小さいうちから自分の意見を堂々と述べることを要求される。

この二つの教育のどちらが正しいかは、いまは言うかぎりではない。しかし「葉隠」の教育は次のようであった。

「武士の子供は育て様あるべき事なり。先づ幼稚の時より勇気をすすめ、仮初にもおどし、だます事などあるまじく候。幼少の時にても臆病気これあるは一生の疵なり。親々不覚にして、雷鳴の時もおぢ気をつけ、暗がりなどには参らぬ様に仕なし、泣き止ますべきとて、おそろしがる事などを申し聞かせ候は不覚の事なり。又幼少にて強く叱り候へば、入気になるなり。又わるぐせ染み入らぬ様にすべし。染み入りてよりは意見しても直らぬなり。物言ひ、礼儀など、そろそろと気を付けさせ、欲義など知らざる様に、その外育て様にて、大体の生れつきならば、よくなるべし。又女夫仲悪しき者の子は不孝なる由、尤もの事なり。鳥獣さへ生れ落ちてより、見馴れ聞き馴るる事に移るものなり。又母親愚にして、父子仲悪しくなる事あり。母親は何のわけもなく子を愛し、父親意見すれば子の贔負をし、子と一味するゆゑ、その子は父に不和になるなり。女の浅ましき心にて、行末を頼みて、子と一味すると見えたり。」（聞書第一　一三九頁）

　しかし、「葉隠」の教育法は、意外にもジャン・ジャック・ルソーの「エミール」の自由で自然な教育の理論に似ているのである。ちなみに宝永七年（一七一〇年）にはじまった「葉隠」が佳境にはいったころ、すなわち一七一二年にルソーは生まれている。

　たんなるスパルタ教育ではなく、子供に対して自然への恐怖や、無理やりな叱責を制御することに重点を置いた。子供は子供の世界においてのびのびと育ち、親のおどかしや叱りがなければ臆病になることもなく、内気になることもないというのが「葉隠」のごく自然な育児法である。と同時に、現代でもまったく通用する事例が後段で示されているのは興味が深い。いまでも、母親はわけもなく子を愛し、子供といっしょになって父親に対抗し、その子が父と不和になる例はいたるところで見られるとおりである。ことに現代、父親の権威の失墜にともなって、ますます母親っ子がふえ、アメリカにいわゆるドミネーティング・マザーのタイプが激増している。父親は疎外され、父親と息子との間における武士的な厳しい伝承の教育は、いまや伝承すべき何ものもないままに没却されてしまい、子供にとってすら父親は、ただ月給を運ぶ機械にすぎなくなり、なんら精神的なつながりの持たれないものになってしまった。いま男性の女性化が非難されていると同時に、父親の弱体化はこれと符節を合わして進行していると思わねばならない。

十六　交際の誠実

「葉隠」のデリカシーは人との交際においても、真心が第一であるということを教えている。この考えは現代にそのまま用いて、すこしも齟齬（そご）するところはない。

「『人の心を見んと思はば煩へ。』と云ふことあり。日頃は心安く寄合ひ、病気又は難儀の時大方にする者は腰ぬけなり。すべて人の不仕合せの時別けて立ち入り、見舞・付届（つけとどけ）仕るべきなり。恩を受け候人には、一生の内疎遠にあるまじきなり。斯様（かよう）の事にて、人の心入れは見ゆるものなり。多分我が難儀の時は人を頼み、後（のち）には思ひも出さぬ人多し。」（聞書第一　一四三頁）

十七　人の使い方

「葉隠」のデリカシーは人の使い方についても、ゆきとどいたやさしい注意を与えている。

「山本前神右衛門、召使の者に不行跡の者あれば、一年のうち、何となく召し使ひ、暮になり候てより無事に暇を呉れ申し候。」(聞書第一一四五頁)

十八　男と鏡

前にも言ったように、道徳がもし外面的に重視されるべきものならば、その外面の代表は敵であり、また鏡である。自分を注視して、自分を批判するものは、敵でありまた鏡である。女にとっての鏡は化粧の道具であるが、男にとっての鏡は反省の材料であった。「葉隠」は、外面的道徳を主張する当然の結果として、鏡にもまた言及する。

「風体の修業は、不断鏡を見て直したるがよし。十三歳の時、髪を御立てさせなされ候について、一年ばかり引き入り居り候。一門共兼々申し候は、『利発なる面にて候間、やがて仕損じ申すべく候。殿様別けて御嫌ひなさるるが、利発めき候者にて候』

と申し候について、この節顔付仕直し申すべしと存じ立ち、不断鏡にて仕直し、一年過ぎて出で候へば、虚労下地と皆人申し候。これが奉公の基かと存じ候。利発を面に出し候者は、諸人請け取り申さず候。ゆりすわりて、しかとしたる所のなくては、風体宜しからざるなり。うやうやしく、にがみありて、調子静かなるがよし。」(聞書第一　一四五頁)

自分の顔が利発すぎるというので、鏡を見てはとうとう直しおおせたというのはふしぎな例であるが、「葉隠」がここに言っている人間の、あるいは男の顔の理想的な姿、「うやうやしく、にがみありて、調子静かなる」というのは、そのまま一種の男性美学といえる。「うやうやしく」には男の顔にあるところの、人を信頼させる恭謙な態度が要請されており、「にがみ」にはこれと反対に、一歩も寄せつけぬ威厳が暗示されており、しかも、この二つの相反する要素を包むものとして、静かな、ものに動じない落ちつきが要求されている。

十九　インテリ論

「勘定者はすくたるるものなり。仔細は、勘定は損得の考するものなれば、常に損得の心絶えざるなり。死は損、生は得なれば、死ぬる事をすかぬ故、すくたるるものな

り。又学問者は才智弁口にて、本体の臆病、欲心などを仕かくすものなり。人の見誤る所なり。」（聞書第一　一四八頁）

「葉隠」の時代には、現代インテリゲンチャに該当するものは、おそらくはなかった。しかし、現代インテリゲンチャの原型をなすような儒者、学者、あるいは武士の中にも、太平の世とともにそれに類するタイプが発生していた。それを常朝はじつに簡単に「勘定者」と呼んでいる。合理主義とヒューマニズムが何を隠蔽し、何を欺くかということを、「葉隠」は一言をもってあばき立て、合理的に考えれば死は損であり、生は得であるから、だれも喜んで死へおもむくものはいない。合理主義的な観念の上に打ち立てられたヒューマニズムは、それが一つの思想の鎧となることによって、あたかも普遍性を獲得したような錯覚におちいり、その内面の主体の弱みと主観の脆弱さを隠してしまう。常朝がたえず非難しているのは、主体と思想との間の乖離である。これは「葉隠」を一貫する考え方で、もし思想が勘定の上に成り立ち、死は損であり、生は得であると勘定することによって、たんなる才知弁舌によって、自分の内心の臆病と欲望を押しかくすなら、それは自分のつくった思想をもってみずからを欺き、またみずから欺かれる人間のあさましい姿を露呈することにほかならない。

近代ヒューマニズムといえども、他人の死でなくて、自分の死を賭けるときには、英雄的な力を持つでもあろうが、そのいちばん堕落した形態は、自分個人の「死にたくない」という動物的な反応と、それによって利を得ようとする利得の心とを、他人の死への同情にことよせて、おおい隠すために使われる時である。それを常朝は「すくたるる」と呼んでいる。

二十　死狂い

前項の思想による欺瞞をもっともまぬがれた極致にあるものは、忠も孝も、あらゆる理念もいらない純粋行動の爆発の姿である。常朝はたんにファナチシズムを容認するのではない。しかし行動が純粋形態をとったときに、おのずからその中に忠と孝とが含まれてくるという形を、もっとも理想としている。行動にとっては、自分の行動がおのずから忠と孝とをこもらせることになるかどうかは、予測のつくことではない。しかし、人間の行動は予測のつくことに向かってばかり発揮されるものではない。それが「武士道は死狂ひなり」という次のような一句である。

「『武士道は死狂ひなり。一人の殺害を数十人して仕かぬるもの。』と、直茂公仰せられ候。本気にては大業はならず。気違ひになりて死狂ひするまでなり。又武士道に於て分別出来れば、はや後るるなり。忠も孝も入らず、武士道に於ては死狂ひなり。こ

の内に忠孝はおのづから籠るべし。」（聞書第一 一四九頁）

この反理性主義、反理知主義には、もっとも危険なものが含まれている。しかし、理性主義、理知主義の最大の欠点は、危険に対して身を挺しないことである。もし、理知が盲目の行動の中におのずから備わるならば、また、もし理性があたかも自然の本能のように、盲目な行動のうちにおのずから原動力として働くならば、それこそは人間の行動のもっとも理想的な姿であろう。この一行、この一項の「この内に忠孝はおのづから籠るべし。」という一行は、はなはだ重要である。なぜなら、「葉隠」は単なるファナチシズムでなくて、また単なる反知性主義ではなくて、純粋行動自体の予定調和というものを信じているからである。

二十一　言行が心を変える

われわれ近代人の誤解は、まず心があり、良心があり、思想があり、観念があって、それがわれわれの言行にあらわれると考えていることである。また言行にあらわれなくても、心があり、良心があり、思想があり、観念があると疑わないことである。しかし、ギリシャ人のように目に見えるものしか信じない民族にとっては、目に見えない心というものは何ものでもない。そしてまた、心というあいまいなものをあやつるのに、何が心を育て、変えていくかということは、人間の外面にあらわれた行動とことばでもって占うほかはない。「葉隠」はここに目をつけている。そしてことばの端々にも、もし臆病に類する表現があれば、彼の心も臆病になり、人から臆病と見られることは、彼が臆病になることであり、そして、ほんの小さな言行の瑕瑾が、彼自身の思想を崩壊させてしまうことを警告している。そしてある場合、これは人間にとって手痛い真実なのである。われわれは、もし自分の内心があると信ずるならば、その内心を守るために言行のはしばしにまで気をつけなければならない。それと同時に、言行のはしばしに気をつけることによって、かつてなかった内心の情熱、かつて自分には備わっていると思われなかった新しい内心の果実が、思いがけず豊富に実ってくることもあるのである。

「武士は万事に心を付け、少しにても後れになる事を嫌ふべきなり。就中物言ひに不吟味なれば、『我は臆病なり。その時は逃げ申すべし、おそろしき、痛い。』などといふことあり。ざれにも、たはぶれにも、寝言にも、たは言にも、いふまじき詞なり。心ある者の聞いては、心の奥おしはかるるものなり。兼て吟味して置くべき事なり。」(聞書第一　一五一頁)

二十二　立身

一刻も早く死ぬことをすすめるように見えながら、実際生活の分野において、「葉隠」は晩熟を重んじている。これは人間の行動の能力と、実務的な才能とが、かならずしも時を同じゅうして花を開かないことを暗示しているように思われる。なぜなら、ご用に立つとは武士にとって二つの意味がある。一つは身を滅して君に忠たらんとすることであり、一つは緻密な、実務的才能をもって国へ奉仕することである。「葉隠」のおもしろいところは、世間ではまるで別の能力と考えられている、行動的能力と実務的才能とを、年齢の差によってそれぞれの時代の最高の能力として、同等に評価していることである。ここに「葉隠」という本の、ふしぎな、プラクティカルな性格があるといわねばならない。

「若き内に立身して御用に立つは、のうぢなきものなり。発明の生れつきにても、器量熟せず、人も請け取らぬなり。五十ばかりより、そろそろ仕上げたるがよきなり。その内は諸人の目に立身遅きと思ふ程なるが、のうぢあるなり。又身上崩しても、志ある者は私曲の事にてこれなき故、早く直るなり。」（聞書第一　一五三頁）

二十三　再び、人の使い方

これもはなはだ実用的な教えである。

「義経軍歌に、『大将は人に言葉をよくかけよ。』とあり。組被官にても自然の時は申すに及ばず、平生にも、『さてもよく仕たり、ここを一つ働き候へ、曲者かな。』と申し候時、身命を惜まぬものなり。とかく一言が大事のものなり。」（聞書第一　一五五頁）

二十四　精神集中

この項は後に述べる第二十七項と明らかに矛盾している。すなわち武士道においては、武士道一途に専念することが正しい道であるのに、芸能においては愚痴であるから、それ一偏に執着するななどと言ってけなされている。芸能ということばは「葉隠」では、現代とは多少異なった意味を持っている。広く、才能技芸のことを言って、現代における技術者の技術もこの芸能に当たるものである。常朝のいう意味は、武士とは全人的な存在であり、芸能をこととする人間とはファンクションに堕した一つの機能的な歯車にすぎないという考えがあったと思われる。すなわち、武士道一辺倒に生きるとは、一つの技術の習熟者として、一つの機能として扱われることではなくて、一人一人の武士が武士を代表しつつ、一人一人の武士が武士道全体を、ある場合には代表するという作用を営むものである。われ一人お国を背負うという覚悟をもって、大高慢で事に当たる武士は、そのときもはやファンクションではない。彼が武士なのであり、彼が武士道なのである。したがって、武士道一途に生きるときには、人間はただ人間社会の歯車に堕する心配はない。しかし、技術に生きる人間は、ことに現代のような技術社会の一機能として作用する以外に、自分の全人的な人生を完成することはできないのである。したがって、武士が全人的な理想を持ちながら、同時に別な技術に執着することになっては、機能をもって全体を蝕むことになるだろう。「葉隠」がおそれたのはここであった。その理想的な人間像は、一部が機能であり、一部が全体であるような折衷的な人間ではなかった。全人には技術はいらなかった。彼は精神を代表し、行動を代表し、そして国がよってもって立つ理念を代表していたのである。それがこの項の「物が二つになるが悪しきなり。」という意味であろう。

「物が二つになるが悪しきなり。武士道一つにて、他に求むることあるべからず。道の字は同じき事なり。然るに、儒道仏道を聞きて武士道などと云ふは、道に叶はぬところなり。かくの如く心得て諸道を聞きて、いよいよ道に叶ふべし。」（聞書第一　一

五七頁）

二十五　平和な時代のことば

戦乱の世に戦乱の世らしい勇ましいことばを用い、平和な世には平和な世にふさわしい、やさしいことばを用いるのは武士ではない。武士にとって大切なのは論理的一貫性であって、乱世には行動によって勇気をあらわし、治世にはことばによって勇気をあらわさなければならない。これは第二十一項と同様の、人間の言動が人間の内心を規制するという考えの根本である。

「武士は当座の一言（いちごん）が大事なり。ただこの一言にて武勇顕はるるなり。即ち治世に勇を顕はすは詞なり。乱世にも一言にて剛臆見ゆと見えたり。この一言が心の花なり。口にては云はれぬものなり。」（聞書第一　一五七頁）

二十六　弱気をいわぬ

これも第二十一項、第二十五項と同じ考えのうえに立っている。「武士は、仮にも弱気のことを云ふまじ、すまじと、兼々心がくべき事なり。かりそめの事にて、心の奥見ゆるものなり。」（聞書第一　一五八頁）

二十七　芸能への軽蔑

これについては、すでに第二十四項のところで述べた。

「芸能に上手といはるる人は、馬鹿風の者なり。これは、ただ一偏に貪着する故なり、愚痴ゆゑ、余念なくて上手になるなり。何の益にも立たぬものなり。」（聞書第一　一五九頁）

二十八　教　訓

日本の社会がいまなお先輩、後輩の序列にしばられて、年齢の懸隔を超越した、平等のディスカッションの機会を与えられないことは、現代の会社の中の人間関係を見ても、その他あらゆる社会の人間関係を見ても、すぐ目につくことである。初めはいやいや教訓をうけたまわっていた若い人たちも、やがて自分が教訓を与える立場になると、もはや人から教訓を受ける機会はない。かくて精神の停滞が始まり、動脈硬化が始まり、社会全体のさけがたい梗塞状態が始まるのである。日本はふしぎに近代史を見ても、青年の意見がおそれられるのは動乱の時代であり、しばらく平和な時代が続くと青年の意見は無視されるようになる。中国の紅衛兵問題は、日本のある若い人たちに痛快な刺激を与えた。しかも若い人々の意見が、社会にプラスになるように、巧みに一定の水路に導かれることは、きわめてまれである。紅衛兵問題の混乱もその一例であり、昭和十年代の日本における青年将校の思想が、さまざまな曲折のうちに結局悪しき政治目的に利用されたのもそれであった。近代史において、青年の意見がそのまま国の根幹をゆるがし、かつ国の形成に役立ったのは、明治維新をおいてほかにはない。

「世に教訓をする人は多し。教訓を悦ぶ人はすくなし。まして教訓に従ふ人は稀なり。年三十も越したる者は、教訓する人もなし。されば教訓の道ふさがりて、我儘なる故、一生非を重ね、愚を増して、すたるなり。故に道を知れる人には、何とぞ馴れ近づきて教訓を受くべき事なり。」(聞書第一 一五九頁)

常朝は、ここでも独特のリアリズムを発揮して、これだけ長々と、聞書の文章を口伝しながら、一言「教訓を悦ぶ人はすくなし。」とつけ加えることを忘れない。

二十九 和と謙譲

ここにも「葉隠」の一つの矛盾の例がある。あれほどエネルギーを賛美し、あれほど行動の行き過ぎを認めた「葉隠」が、ここでは社会の秩序、その和の精神と謙譲の美徳をほめたたえている。

「(略)人を先に立て、争ふ心なく、礼儀を乱さず、へり下りて、我が為には悪しくとも、人の為によき様にすれば、いつも初会の様にて、仲悪しくなることなし。(略)」(聞書第一　一六二頁)

常朝は、たまたまこのようなプラクティカルな教訓を与えるときには、じつに平然と矛盾をおかすのである。そこにまた「葉隠」という本のふしぎな魅力がある。

三十年齢

「四十歳より内は、知恵分別を除け、強み過ぐる程がよし。人により、身の程により、四十過ぎても、強みなければ響きなきものなり。」(聞書第一　一六四頁)

強みということがいわれている。このわずかな一、二行をしさいに読むと、四十にならぬうちは強みすぎるほどがよく、また四十を過ぎてもやはり強みがなければいけないということを言っているので、結局常朝が考えている人間像は「強み」という一点に帰着するように思われる。

「強み」とは何か。知恵に流されぬことである。分別に溺れないことである。彼は行動の原理がいつもこのように知恵や分別によって崩され、破壊されるのを、がまんして見てきた経験がたくさんあるにちがいない。そして、四十過ぎての分別盛りが、たちまち、がたりと強みを失って、そのときになって得た知恵や分別ですら、強みがないがために本当の効果を発揮しないという例をたくさん見たにちがいない。ここには微妙な逆説がある。もし、知恵分別が四十歳にして得られるならば、そのとき、それを活用する力が残っていなければならない。しかし、世間の多くは、分別が得られたときには力を失っているのである。常朝はそれを戒めたものと思われる。

三十一　逆境

「(略)不仕合せの時草臥(くたぶ)るる者は、益(やく)に立たざるなり。」(聞書第二　一六五頁)

人々は、けっしてしあわせのとき、くたびれない。これはじつに簡単なことだ。

三十二　忍ぶ恋

「(略)恋の至極は忍恋と見立て候。逢ひてからは恋のたけが低し、一生忍んで思ひ死する事こそ恋の本意なれ。(略)」(聞書第二　一六六頁)

恋のたけとは微妙な表現である。アメリカにおける日本文学の権威ドナルド・キーン氏が、かつて近松（門左衛門）の心中物の解説をして、恋人同士は心中の道行に出で立つときに、その道行のはなやかな文章とともに、急に背が高くなるということを書いたことがある。それまで市井の平凡な、家族や金にからまれたみじめな男女であった二人は、一途の恋に心中への道をたどるときに、たちまち悲劇のヒーローとヒロインとしての、巨人的な身の丈を獲得するのである。

いまの恋愛はピグミーの恋になってしまった。恋はみな背が低くなり、忍ぶことが少なければ少ないほど恋愛はイメージの広がりを失い、障害を乗り越える勇気を失い、社会の道徳を変革する革命的情熱を失い、その内包する象徴的意味を失い、また同時に獲得の喜びを失い、獲得できぬことの悲しみを失い、人間の感情の広い振幅を失い、対象の美化を失い、対象をも無限に低めてしまった。恋は相対的なものであるから、相手の背丈が低まれば、こちらの背丈も低まる。かくて東京の町の隅々には、ピグミーたちの恋愛が氾濫（はんらん）している。

三十三　エピキュリアニズム

イギリスの作家、ウォルター・ペイターの小説「マリウス・ジ・エピキュリアン」が「享楽主義者マリウス」という名で、翻訳されて出版されたとき、このむずかしい哲学小説が、ただ書名にひかれた読者によって、思いがけないベストセラーになったことがある。ペイターは、キリスト教勃興期のローマの青年貴族の思想的遍歴を扱いながら、エピクロスの哲理を詩的に美しく分析しつつ、それがキリスト教の帰依にいたる思想的発展の物語を書いたのであった。エピクロスの哲理は享楽主義と名づけられるが、じつは、ストイシズムと紙一重であった。われわれがある女性とデートをして、一晩ホテルへ行って、あくる朝しらけた気持ちで早朝興行の映画に行って、あくびをかみころしてつまらない映画を見ているとき、そのときに感じるものはもはや享楽主義ではない。享楽主義とは、享楽独特の厳格な法則をいつも心にとめて、その法則を踏みはずさぬように注意深くふるまうことにほかならなかった。したがってエピクロスの哲理は、享楽がそのまま幻滅におちいり、果たされた欲望がたちまち空白状態におちいるような肉体的享楽をいっさい排斥した。満足は享楽の敵であり、幻滅をしかひき起こさなかった。したがって、エピクロスは、キュレネ学派と同じく、快楽を幸福有徳な生活の最高原理としながら、その快楽の目的をアタラクシアに置き、また、この快楽をおびやかす死の不安は、「生きているかぎり死は来ず、死んだときにはわれわれは存在しないから、したがって死を怖れる必要はない。」という哲理で解決した。そのようなエピクロスの哲理は、そのまま山本常朝の快楽哲学につながっている。彼の死の哲学には、たしかに、このような快楽のストイックな観念がひそんでいた。次のような一節を読むがよい。

「端的只今の一念より外はこれなく候。一念一念と重ねて一生なり。ここに覚え付き候へば、外に忙しき事もなく、求むることもなし。この一念を守つて暮すまでなり。皆人、ここを取り失ひ、別にある様にばかり存じて探促いたし、ここを見付け候人なきものなり。さてこの一念を守り詰めて抜けぬ様になることは、功を積まねばなるまじく候。されども、一度たどり付き候へば、常住に無くても、もはや別の物にてはなし。この一念に極り候事を、よくよく合点候へば、事すくなくなる事なり。この一念に忠節備はり候なりと。」(聞書第二 一七〇頁)

三十四 時世

ここでも「葉隠」は明らかな矛盾をおかしている。あのように時世の頽廃を嘆き、あのように若武士や当世風の若者たちの堕落を嘆いた常朝は、同時に時代の流れというものをリアリスティックに観察して、それにいたずらに逆うことが、何ら有効な結果を生まぬことも洞察している。

「時代の風と云ふものは、かへられぬ事なり。段々と落ちさがり候は、世の末になりたる処なり。一年の内、春ばかりにても夏ばかりにても同様にはなし。一日も同然なり。されば今の世を、百年も以前のよき風に成したくても成らざることなり。されば、その時代時代にて、よき様にするが肝要なり。昔風を慕ひ候人に誤あるはここなり。合点これなき故なり。又当世風ばかりを存じ候て、昔風を嫌ひ候人は、かへりまちもなくなるなりと。」（聞書第二　一七二頁）

三十五　武勇㈠

「武勇と少人は、我は日本一と大高慢にてなければならず。道を修行する今日の事は、知非便捨（非を知れば捨てるに便）にしくはなし。斯様にわけて心得ねば、埒明かずとなり。」（聞書第二　一七三頁）

三十六　武勇㈡

「武士たる者は、武勇に大高慢をなし、死狂ひの覚悟が肝要なり。（略）」（聞書第二　一七六頁）

三十七　再び、ニヒリズム

ここには常朝のニヒリズムの描いた究極の世界がある。常朝は一方では人間のエネルギーを賛美し、純粋行動を賛美しながら、そのすべてが描く軌跡をむなしく観じていた。

「道すがら考ふれば、何とよくからくつた人形ではなきや。糸をつけてもなきに、歩いたり、飛んだり、はねたり、言語迄も云ふは上手の細工なり。来年の盆には客にぞなるべき。さてもあだな世界かな。忘れてばかり居るぞと。」(聞書第二 一七七頁)

三十八 写し紅粉

わたしは、この一節を何度引用したかわからない。酔いざめや寝起きのときには顔の色が悪いことがあるから、紅粉を出してひいたがよいということを、武士にすすめているこの一節は、われわれの考える観念の中にある武士とはずいぶん違ったものであり、また、一見女風になって衣装の吟味ばかりしている青年の姿と通ずるかのようである。大正時代にもポンペアン・クリームというのが流行して、当時の青年たちは頰にクリームを塗って薄化粧をしていた。

しかし常朝のいう写し紅粉ほど、このような考えから遠いものはない。男は死んでも桜色。切腹の前には死んでも生気を失わないように、頰に紅をひき、唇に紅をひく作法があった。そのように敵に対して恥じない道徳は、死のあとまでも自分を美しく装い、自分を生気あるように見せるたしなみを必要とする。まして生きているうちには、先ほどからたびたび言った外面の哲学の当然の結果として、ふつか酔いの青ざめた顔は武士としてのくたびれたありさまを示すものであるから、たとえ上に紅の粉をひいても、それを隠しおおさねばならない。ここで外面の哲学が美の哲学と結びつくキーポイントが提示される。なぜなら美とは外面的なものである。そしてギリシャ時代に美が倫理と結合したように、「葉隠」の世界でも、ここにいたって美ということが道徳の基本的な性格を規定するのである。美しいものは強くいきいきと、エネルギーにあふれていなければならない。それがまず第一の前提であるから、道徳的であることは美しくなければならないことである。しかし、それは衣装を吟味したり、女風になることではなくて、美と倫理的目的とを最高の緊張において結合することである。このようなふつか酔いにおける紅粉は、ただちに切腹の死化粧に通じる考えと思ってよい。

「写し紅粉を懐中したるがよし。自然の時に、酔覚(よひざめ)か寝起などは顔の色悪しき事なり。斯様の時、紅粉を出し、引きたるがよきなりと。」(聞書第二　一八〇頁)

三十九 会議の方法

中国では、昔から会議を開くのに、出席者の一人一人をよく説得して、会議を開けば同時に合意に達するような工作をしてから、会議を開くのが慣習であったと聞いている。このような政治的な知恵はそういう慣習を持たない日本人の中で、「葉隠」がつとに推奨しているところのものである。

「談合事などは、まづ一人と示し合ひ、その後(のち)聞くべき人々を集め一決すべし。さなければ、恨み出来るなり。又大事の相談は、関係なき人、世外の人などに、潜(ひそ)かに批判させたるがよし。贔負(ひいき)なき故、よく理が見ゆるなり。(略)」(聞書第二 一八二頁)

四十 神道

古神道のけがれの思想は、武士道といつも抵触するように思われた。一説によれば古神道のけがれをきよめる水が、武士道において死の観念に代置されたという人がある。すなわち古神道では死穢(しえ)を忌み、また血のけがれを忌むが、もし武士が戦場に出で立てば、そのまわりには死穢と血穢(ちえ)は必然的に群がり起こってくる。平田篤胤(ひらたあつたね)の「玉襷(たまだすき)」によれば、死穢をよけるには死体を置いた部屋の敷居の外にすわらなければならないとか、「膿汁失血の禁忌、痔血鼻血の類は沐浴解除して参宮すべし。」とか、くわしい規定が述べられているが、武士はそのような古神道の教義に、あくまでも忠実であることはできなかった。これらすべてを清める水のかわりに、死を象徴的に持ってきたという考えも、じゅうぶんうなずけることである。

しかし、常朝はそのような妥協策を神道について講じているのではない。「後向き候神ならば詮なき事と存じ極め、穢も構ひなく拝み仕り候由。」彼は神道におけるタブーを激しく否定したままで武士道を貫こうと試みた。ここでは、日本の伝統的なけがれの思想は、激しい行動の意欲の前に踏み破られているのである。

「神は穢を御嫌ひなされ候由に候へども、一分の見立てこれありて、日拝怠り申さず候。その仔細は、軍中にて血を切りかぶり、死人乗り越え乗り越え働き候時分、運命を祈り申す為にこそ、兼々は信心仕る事に候。その時穢あるとて、後向き候神ならば詮なき事と存じ極め、穢も構ひなく拝み仕り候由。」(聞書第二 一八二頁)

四十一 再び、エピキュリアニズム

さきにも述べたように、ここには「武士道といふは、死ぬ事と見付けたり」とちょうど表裏をなす葉隠哲学の極意がある。

「人間一生誠に纔の事なり。好いた事をして暮すべきなり。夢の間の世の中に、すかぬ事ばかりして苦を見て暮すは愚なることなり。この事は、悪しく聞いては害になる事故、若き衆などへ終に語らぬ奥の手なり。我は寝る事が好きなり。今の境界相応に、いよいよ禁足して、寝て暮すべしと思ふなり。」（聞書第二　一八二頁）

四十二　緊張

前項とも関係することであるが、人間が道徳的目的のために、いつも美しく生きようと努め、その美の基準をいつも究極的な死に置いているならば、日々は緊張の連続でなければならない。だらけた生を何よりもいとう「葉隠」は、一分のすきも見せない緊張の毎日に真の生き甲斐を見いだしていた。それは日常生活における戦いであり、戦士の営みである。

「打ち見たる所に、その儘、その人々の丈分の威が顕はるるものなり。引き嗜む所に威あり、調子静かなる所に威あり、詞寡き所に威あり、礼儀深き所に威あり、行儀重き所に威あり、奥歯嚙して眼差尖なる所に威あり。これ皆、外に顕はれたる所なり。畢竟は気をぬかさず、正念なる所が基にて候となり。」（聞書第二　一八四頁）

四十三　威

前項と関連して、人間の威とは何であろうか。それは侵すべからざる自尊心の外面的なあらわれであり、男をして男たらしめるものである。人の軽蔑をかうよりも死んだほうがましという信念である。そして、そのような人間の社会的行動のあらわれは、人にけむたがられることを避けることはできない。「葉隠」は多少人にけむたがられる人間になれと教えているのである。

「主人にも、家老・年寄にも、ちと隔心に思はれねば大業はならず。何気もなく腰に付けられては働かれぬものなり。この心持これある事の由。」（聞書第二　一八六頁）

四十四　エゴティズム

エゴティズムはエゴイズムとは違う。自尊の心が内にあって、もしみずから持すること高ければ、人の言行などはもはや問題ではない。人の悪口をいうにも及ばず、またとりたてて人をほめて歩くこともない。そんな始末におえぬ人間の姿は、同時に「葉隠」の理想とする姿であった。

「人事（ひとごと）を云ふは、大なる失なり。誉むるも似合はぬ事なり。兎角（とかく）我が丈をよく知り、

我が修行を精出し、口を慎みたるがよし。」（聞書第二 一八六頁）

四十五 女風

「権之丞殿へ話に、今時の若き者、女風になりたがるなり。結構者・人愛の有る人・物を破らぬ人・柔なる人と云ふ様なるを、よき人と取りはやす時代になりたる故、矛手延びず、突っ切れたる事をならぬなり。（略）」（聞書第二 一八八頁）

いまの時代は〝男はあいきょう、女はどきょう〟という時代である。われわれの周辺にはあいきょうのいい男にこと欠かない。そして時代は、ものやわらかな、だれにでも愛される、けっして角だたない、協調精神の旺盛な、そして心の底は冷たい利己主義に満たされた、そういう人間のステレオタイプを輩出している。「葉隠」はこれを女風というのである。「葉隠」のいう美は愛されるための美ではない。体面のための、恥ずかしめられぬための強い美である。愛される美を求めるときに、そこに女風が始まる。それは精神の化粧である。「葉隠」は、このような精神の化粧をはなはだにくんだ。現代は苦い薬も甘い糖衣に包み、すべてのものが口当たりよく、歯ごたえのないものがもっとも人に受け入れられるものになっている。「葉隠」の反時代的な精神は、この点で現代にもそのまま通用する。

四十六　交際の心得

さきに、人との交際における誠実を説いた常朝は、ここでは人との交際における自尊心の必要について説いている。それは同時に、人間のつき合いというものに対する常朝のかしゃくのないリアリズムの観察から出ているのである。

「（略）総じて呼ばれねば行かぬに如くはなし。心の友は稀なるものなり。呼ばれても心持入るべし。（略）」（聞書第二　一九〇頁）

四十七　意地

これは、そのまま読んでおもしろいものだ。

「或人云ふ、『意地は内にあると、外にあるとの二つなり。外にも内にもなきものは、益に立たず。たとへば刀の身の如く、切れ物を研ぎはしらかして鞘に納めて置き、自然には抜きて眉毛にかけ、拭ひて納むるがよし。外にばかりありて、白刃を常に振廻す者には人が寄りつかず、一味の者無きものなり。内にばかり納め置き候へば、錆もつき刃も鈍り、人が思ひこなすものなり。』と。」（聞書第二　一九一頁）

四十八　時間の効用

かくて人生をニヒリストと、リアリストの目で冷たく見据えている常朝は、この人生を夢の間の人生と観じながら、同時に人間がいやおうなしに成熟していくことも知っていた。時間は自然に人々に浸み入って、そこに何ものかを培っていく。もし人がきょう死ぬ時に際会しなければ、そしてきょう死の結果を得なければ、容赦なくあしたへ生き延びていくのである。

常朝は六十一歳まで生き延びたときに、しみじみと時間の残酷さというものを感じたにちがいない。一面から見れば、二十歳で死ぬも、六十歳で死ぬも同じかげろうの世であるが、また一面から見れば二十歳で死んだ人間の知らない冷徹な人生知を、人々に与えずにはおかぬ時間の恵みであった。それを彼は「御用」と呼んでいる。「御用」とは何か。さきにも言ったように、武士として役に立たぬことには一顧も払わなかった彼は、一方では、はかない世を心にとめながら、一方では、あくまでプラクティカルな実用的な哲学を鼓吹した。そこで彼は「身養生さへして居れば、終には本意を達し御用に立つ事なり。」という、もっとも非「葉隠」的な一句を語るのである。彼にとって身養生とは、いつでも死ねる覚悟を心に秘めながら、いつでも最上の状態で戦えるように健康を大切にし、生きる力にみなぎり、一〇〇パーセントのエネルギーを保有することであった。

ここにいたって彼の死の哲学は、生の哲学に転化しながら、同時になお深いニヒリズムを露呈していくのである。

「皆人気短故に、大事を成らず仕損ずる事あり。いつまでもいつまでもとさへ思へば、しかも早く成るものなり。時節がふり来るものなり。今十五年先を考へ見候へ。さても世間違ふべし。未来記などと云ふも、あまり替りたる事あるまじ。今時御用立つ衆、十五年過ぐれば一人もなし。今の若手の衆が打つて出ても、半分だけにても有るまじ。段々下り来り、金払底すれば銀が宝となり、銀払底すれば銅が宝となるが如し。時節相応に人の器量も下り行く事なれば、一精出し候はば、丁度御用に立つなり。十五年などは夢の間なり。身養生さへして居れば、終には本意を達し御用に立つ事なり。名人多き時代こそ、骨を折る事なり。世間一統に下り行く時代なれば、その中にて抜け出るは安き事なり。」（聞書第二　一九二頁）

三 「葉隠」の読み方

「葉隠」がかつて読まれたのは、戦争中の死の季節においてであった。当時はポール・ブールジェの小説「死」が争って読まれ、また「葉隠」は戦場に行く青年たちの覚悟をかためる書として、大いに推奨されていた。

現在、「葉隠」が読まれるとすれば、どういう観点から読まれるかわたしにはわからない。もし、読まれる理由があるとすれば、むしろ戦争中とは反対の裏側の事情で、いまわれわれの眼前に巨大な死のフラストレーションが、広がっているからとしか説明がつかない。あらゆる欲求不満が満足されたあとに、死だけがわれわれの欲求不満になっているのである。そして、その死を美化するといなとにかかわらず、死が存在し、少しずつわれわれを侵していることは、まったく疑問の余地はない。

若い人は観念的に死を夢み、中年以上の人は暇があればあるほどガンの恐怖におびえている。そしてガンこそは、どんな政治権力もあえてしないような残酷な殺人なのである。

日本人は、死をいつも生活の裏側にひしひしと意識していた国民であった。しかし日本人の死の観念は明るく直線的で、その点、外国人の考えるいまわしい、恐るべき死の姿とは違っている。中世ヨーロッパにおける大きな鎌を持った死神の姿は、日本人の脳裏にはなかった。また、メキシコのように死がわがもの顔にはびこっている、あの激しい太陽の下の、夏草の繁茂におおわれた、古いアズテックやトルテックの廃墟(はいきょ)が、いまなお近代都市のかたわらに屹立(きつりつ)している国におけるような死のイメージとも、日本人の死のイメージは違っている。あのような荒々しい死ではないし、何かその死の果てに清い泉のようなものが存在していて、その泉のようなものから現世へ絶えずせせらぎがそそいでいるような死のイメージは、長らく日本人の芸術を富ませてきた。

　われわれは西洋から、あらゆる生の哲学を学んだ。しかし生の哲学だけでは、われわれは最終的に満足することはできなかった。また、仏教の教えるような輪廻転生(りんねてんしょう)の、永久に生へまたかえってくるような、やりきれない罪に汚染された哲学をも、われわれは親しく自分のものとすることができなかった。

「葉隠」の死は、何か雲間の青空のようなふしぎな、すみやかな明るさを持っている。それは現代化された形では、戦争中のもっとも悲惨な攻撃方法と呼ばれた、あの神風特攻隊のイメージと、ふしぎにも結合するものである。神風特攻隊は、もっとも非人間的な攻撃方法といわれ、戦後、それによって死んだ青年たちは、長らく犬死の汚名をこうむっていた。しかし、国のために確実な死へ向かって身を投げかけたその青年たちの精神は、それぞれの心の中に分け入れば、いろいろな悩みや苦しみがあったに相違ないが、日本の一つながりの伝統の中に置くときに、「葉隠」の明快な行動と死の理想に、もっとも完全に近づいている。人はあえていうであろう。特攻隊は、いかなる美名におおわれているとはいえ、強いられた死であった。そして学業半ばに青年たちが、国家権力に強いられて無理やりに死へ追いたてられ、志願とはいいながら、ほとんど強制と同様な方法で、確実な死のきまっている攻撃へかりたてられて行ったのだと……。それはたしかにそうである。

では、「葉隠」が暗示しているような死は、それとはまったく違った、選ばれた死であろうか。わたしにはそうは思われない。「葉隠」は一応、選びうる行為としての死へ向かって、われわれの決断を促しているのであるが、同時に、その裏には、殉死を禁じられて生きのびた一人の男の、死から見放された深いニヒリズムの水たまりが横たわっている。人間は死を完全に選ぶこともできなければ、また死を完全に強いられることもできない。たとえ、強いられた死として極端な死刑の場合でも、精神をもってそれに抵抗しようとするときには、それはたんなる強いられた死ではなくなるのである。また、原子爆弾の死でさえも、あのような圧倒的な強いられた死も、一個人一個人にとっては運命としての死であった。われわれは、運命と自分の選択との間に、ぎりぎりに追いつめられた形でしか、死に直面することができないのである。そして死の形態には、その人間的選択と超人間的運命との暗々裏の相剋が、永久にまつわりついている。ある場合には完全に自分の選んだ死とも見えるであろう。自殺がそうである。ある場合には完全に強いられた死とも見えるであろう。たとえば空襲の爆死がそうである。

しかし、自由意思の極致のあらわれと見られる自殺にも、その死へいたる不可避性には、ついに自分で選んで選び得なかった宿命の因子が働いている。また、たんなる自然死のように見える病死ですら、そこの病死に運んでいく経過には、自殺に似た、みずから選んだ死であるかのように思われる場合が、けっして少なくない。「葉隠」の暗示する死の決断は、いつもわれわれに明快な形で与えられているわけではない。目の前に敵があらわれ、それと戦い、そして自分が死ぬか生きるかという決断を自分で下して死ぬというような状況は、たとえ、まだ日本刀以上の武器がなかった時代でも、いつも簡単に与えられていたものではない。それが証拠に山本常朝自身は、六十一歳まで生き延びたのである。

すなわち、「葉隠」にしろ、特攻隊にしろ、一方が選んだ死であり、一方が強いられた死だと、厳密にいう権利はだれにもないわけなのである。問題は一個人が死に直面するというときの冷厳な事実であり、死にいかに対処するかという人間の精神の最高の緊張の姿は、どうあるべきかという問題である。

そこで、われわれは死についての、もっともむずかしい問題にぶつからざるをえない。われわれにとって、もっとも正しい死、われわれにとってみずから選びうる、正しい目的にそうた死というものは、はたしてあるのであろうか。いま若い人たちに聞くと、ベトナム戦争のような誤った目的の戦争のためには死にたくないが、もし正しい国家目的と人類を救う正しい理念のもとに強いられた死ならば、喜んで死のうという人たちがたくさんいる。これは戦後の教育のせいもあるが、戦争中誤った国家目的のために死んだあやまちを繰り返すまいという考えが生まれて、今度こそはみずから正しいと認めた目的のため以外には死ぬまいという教育が普及したせいだと思われる。

しかし、人間が国家の中で生を営む以上、そのような正しい目的だけに向かって自分を限定することができるであろうか。またよし国家を前提にしなくても、まったく国家を超越した個人として生きるときに、自分一人の力で人類の完全に正しい目的のための死というものが、選び取れる機会があるであろうか。そこでは死という絶対の観念と、正義という地上の現実の観念との齟齬(そご)が、いつも生ぜざるをえない。そして死を規定するその目的の正しさは、また歴史によって十年後、数十年後、あるいは百年後、二百年後には、逆転し訂正されるかもしれないのである。

「葉隠」は、このような煩瑣(はんさ)な、そしてさかしらな人間の判断を、死とは別々に置いていくということを考えている。なぜなら、われわれは死を最終的に選ぶことはできないからである。だからこそ「葉隠」は、生きるか死ぬかというときに、死ぬことをすすめているのである。それはけっして死を選ぶことだとは言っていない。なぜならば、われわれにはその死を選ぶ基準がないからである。われわれが生きているということは、すでに何ものかに選ばれていたことかもしれないし、生がみずから選んだものでない以上、死もみずから最終的に選ぶことができないのかもしれない。

では、生きているものが死と直面するとは何であろうか。「葉隠」はこの場合に、ただ行動の純粋性を提示して、情熱の高さとその力を肯定して、それによって生じた死はすべて肯定している。それを「犬死などといふ事は、上方風の打ち上りたる武士道」だと呼んでいる。死について「葉隠」のもっとも重要な一節である「武士道といふは、死ぬ事と見付けたり」という文句は、このような生と死のふしぎな敵対関係、永久に解けない矛盾の結び目を、一刀をもって切断したものである。「図に当らぬは犬死などといふ事は、上方風の打ち上りたる武士道なるべし。二つ二つの場にて、図に当ることのわかることは、及ばざることなり。」

図に当たるとは、現代のことばでいえば、正しい目的のために正しく死ぬということである。その正しい目的ということは、死ぬ場合にはけっしてわからないということを「葉隠」は言っている。

「我人、生くる方がすきなり。多分すきの方に理が付くべし」、生きている人間にいつも理屈がつくのである。そして生きている人間は、自分が生きているということのために、何らかの理論を発明しなければならないのである。したがって「葉隠」は、図にはずれて生きて腰ぬけになるよりも、図にはずれて死んだほうがまだいいという、相対的な考え方をしか示していない。「葉隠」は、けっして死ぬことがかならず図にはずれないとは言っていないのである。ここに「葉隠」のニヒリズムがあり、また、そのニヒリズムから生まれたぎりぎりの理想主義がある。

われわれは、一つの思想や理論のために死ねるという錯覚に、いつも陥りたがる。しかし「葉隠」が示しているのは、もっと容赦ない死であり、花も実もないむだな犬死さえも、人間の死としての尊厳を持っているということを主張しているのである。もし、われわれが生の尊厳をそれほど重んじるならば、どうして死の尊厳をも重んじないわけにいくであろうか。いかなる死も、それを犬死と呼ぶことはできないのである。

付「葉隠」名言抄…………笠原伸夫訳

夜陰の閑談（序章）

御家来としては、国学心懸くべきことなり。今時、国学目落しに相成り候。大意は、御家の根元を落ち着け、御先祖様方の御苦労、御慈悲を以て、御長久の事を本づけ申すために候。（中略）

「……泰平に候へば、次第に華麗の世間になり行き、弓箭の道は不覚悟にして、奢り出来、失墜多く、上下困窮し、内外共に恥をかき、家をも掘り崩し申すべく候。家中の者共老人は死に失せ、若き者共は時代の風ばかりを学び申すべく候。せめて、末が末まで残り候様に、書き物にて家の譲りに渡し置き候はば、それを見候てなりとも、覚え付き申すべく候。」と仰せられ、御一生、反故の内に御座なされ候て、御仕立てなされ候。御秘事は相知らざる事に候へども、古老の衆語り伝へ候は、カチクチと申す御軍法、御代々御代替りに、面授口決にて御伝へ遊ばさるるの由に候。御譲り御懸硯には、視聴覚知抄・先考三以記と申す御書物、これも御家督の時、御直に御渡し遊ばさる由に候。さて又、御家中御仕置・御国内端々迄の御仕組・公儀方雑務方一切万事の御仕置、鳥の子御帳に御書き記し、諸役々の御控帳・御手頭迄、明細に遊ばされ候。この御苦労限りもなき御事に候。その御勲功を以て御家御長久、めでたき御事に候。されば、憚りながら御上にも、日峯様・泰盛院様の御苦労を思召し知られ、せめて御譲りの御書き物なりとも御熟覧候て、御落ち着き遊ばされたき事に候。御出生候へば、若殿若殿とひやうすかし立て候に付いて御苦労なさる事これ無く、国学御存じなく、我儘のすきの事ばかりにて、御家職方大方に候故、近年新儀多く、手薄く相成り申す事に候。斯様の時節に、小利口なる者共が、何の味も知らず、知恵自慢をして新儀を工み出し、殿の御気に入り、出頭して悉く仕くさらかし申し候。

（中略）

　斯様の儀を存じ当り、御恩報じに何とぞまかり立つべくとの覚悟に胸を極め、御懇ろに召し使はるる時は、いよいよ私なく奉公仕り、浪人切腹仰せ付けられ候も一つの御奉公と存じ、山の奥よりも土の下よりも生々世々御家を嘆き奉る心入れ、これ鍋島侍の覚悟の初門、我等が骨髄にて候。今の拙者に似合はざる事に候へども、成仏などは嘗て願ひ申さず候。七生迄も鍋島侍に生れ出で、国を治め申すべき覚悟、胆に染み罷り在るまでに候。気力も器量も入らず候。一口に申さば、御家を一人して荷ひ申す志出来申す迄に候。同じ人間が誰に劣り申すべきや。惣じて修行は、大高慢にてなければ役に立たず候。我一人して御家を動かさぬとかからねば、修行は物にならざるなり。又、薬罐道心にて、さめ易き事あり。それは、さめぬ仕様あり。我等が一流の誓願、

一、武士道に於ておくれ取り申すまじき事。

一、主君の御用に立つべき事。

一、親に孝行仕るべき事。

一、大慈悲を起し人の為になるべき事。

この四誓願を、毎朝仏神に念じ候へば、二人力になりて、後へはしざらぬものなり。尺取虫の様に、少しづつ先へにじり申すものに候。仏神も、先づ誓願を起し給ふなり。

（訳）ご家来としてつかえている以上は、国学、すなわちお家伝来の基本的な考え方を心得ておくべきである。最近は、とみにそうした考えがおろそかにされている。国学の本質は、お家成立の根源をよく知り、ご先祖のご苦労、そのご慈悲を支えとしてお家が栄えてきたのだということを、銘記しておくことにある。（中略）

初代勝茂様は、「……いまは平和な時勢であれば、世相はだんだん派手になってい

くが、やがては武芸の道もおろそかになり、奢りの気持ちばかり多くなって、失敗がかさなり、上下ともに窮迫して、内外に恥をさらす結果ともなり、ついにはお家を衰亡させてしまうにちがいない。家中をみると、老人は死んでしまい、若い連中は時代の流れにばかり敏感な状態である。教訓として、せめて末代までも残るように、書面でお家につたえ残しておけば、それを見るなりして、すこしはお家の伝統の本質がわかるようになるのではないか。」とおっしゃられ、その一生を、紙くずの中にうずもれるようにして、書きものを作り上げられた。もちろん、秘密にわたることは知るはずもないが、老人たちの語りつたえるところによれば、カチクチ（必勝の法）という軍法は、代々ご相続のたびに、面談口うつしでおつたえになるとのことである。また、書物箱には、「視聴覚知抄」「先考三以記」という本を入れ、これもご相続のときに、手ずからお渡しになるとのことだ。あるいはさらに、ご家中のしきたり、国内のいろいろの組織、幕府関係の事務いっさいのやり方などを、鳥の子紙（なめらかで光沢のある優良和紙）の帳面に書きしたためて、諸役の仕事内容までこまかく作られてあるという。このご苦労はたいへんなもので、そのお働きでお家はながく栄えているのであって、めでたいかぎりである。

されば、もったいないことだが、いまの殿（四代吉茂）も、藩祖日峯様（鍋島加賀守直茂）、初代泰盛院様（鍋島信濃守勝茂）のご苦労をご配慮になり、せめて譲られた書きものだけでもていねいに目をとおされて、心を決めていただきたいものである。ご誕生このかた、まわりの者たちから、若殿、若殿といわれてご機嫌をとられるので、ご苦労されることもなく、藩の伝統もご存知にならず、わがまま勝手で、お家の仕事に身を入れられないので、このところ目新しいことがしきりにおこなわれ、藩内の諸事万端が弱体化してしまった。このような時期に、小利口な連中が、なにひとつ知りもしないくせに、知恵を自慢し合って、めずらしいものなど考えだし、殿のお気に入りとなって出しゃばり、まったく勝手なことのしたい放題だ。（中略）

このようなことを知ったからには、ご恩報じになにごとかお役に立ちたいものと心に決め、殿様より手厚くもてなしをうけていれば、いよいよ私心を捨て、浪人や切腹をいい渡されることもご奉公のひとつと考え、山の奥からも、土の下からさえ、生まれ変わり死に変わり、お家に奉ずるという決心、これが鍋島侍の第一の覚悟で、私どもの真骨頂なのである。頭をまるめたいまの私には似合わないことであるが、成仏などかつて願ったこともなかった。七たび生まれ変わっても鍋島侍となって、藩に尽くす覚悟が心に沁みわたっているだけである。鍋島侍には、気力も才知も不要、ひとくちにいえば、お家をひとりで背負うくらいの意志をもてばよいのである。おなじ人間として、だれが劣るというのでもない。

いったい、修行というものは、大高慢の心でもなければ役に立つものではない。自分ひとりででもお家を安泰にしようといった心づもりでかからなかったら、修行はものになるものではないのである。もっとも、こうした決心は、薬罐にはいったお湯のように、熱しやすく、さめやすいものである。もちろん、さめないようにする手だてもある。かかる手だてとしての、私ども一流の誓願はつぎのようなものである。

一、武士道においておくれをとらないこと。
一、主君のお役に立つべきこと。
一、親に孝行いたすこと。
一、深い慈悲心をもって、人の為になるべきこと。

以上の四つの誓いを毎朝神仏に祈るようにするなら、力は倍加して、うしろへは戻らぬものとなるだろう。やがては、しゃくとり虫のように、すこしずつまえへ進むものである。神仏といえども、まず志を立てるに当たって、誓いを立てられたものであった。

聞書第一

○「武士道といふは、死ぬ事と見付けたり」

武士道といふは、死ぬ事と見付けたり。二つ二つの場にて、早く死ぬはうに片付くばかりなり。別に仔細なし。胸すわって進むなり。図に当らぬは犬死などといふ事は、上方風の打ち上りたる武道なるべし。二つ二つの場にて、図に当ることのわかることは、及ばざることなり。我人、生くる方がすきなり。多分すきの方に理が付くべし。若し図にはづれて生きたらば、腰抜けなり。この境危ふきなり。図にはづれて死にたらば、犬死気違なり。恥にはならず。これが武道に丈夫なり。毎朝毎夕、改めては死に改めては死に、常住死身になりて居る時は、武道に自由を得、一生越度なく、家職を仕果すべきなり。

(訳)武士道の本質は、死ぬことだと知った。つまり生死二つのうち、いずれを取るかといえば、早く死ぬほうをえらぶということにすぎない。これといってめんどうなことはないのだ。腹を据えて、よけいなことは考えず、邁進するだけである。〝事を貫徹しないうちに死ねば犬死だ〟などというのは、せいぜい上方ふうの思い上がった打算的武士道といえる。

とにかく、二者択一を迫られたとき、ぜったいに正しいほうをえらぶということは、たいへんにむずかしい。人はだれでも、死ぬよりは生きるほうがよいに決まっている。となれば、多かれすくなかれ、生きるほうに理屈が多くつくことになるのは当然のことだ。生きるほうをえらんだとして、それがもし失敗に終わってなお生きているとすれば、腰抜けとそしられるだけだろう。このへんがむずかしいところだ。

ところが、死をえらんでさえいれば、事を仕損じて死んだとしても、それは犬死、気ちがいだとそしられようと、恥にはならない。これが、つまりは武士道の本質なのだ。とにかく、武士道をきわめるためには、朝夕くりかえし死を覚悟することが必要なのである。つねに死を覚悟しているときは、武士道が自分のものとなり、一生誤りなくご奉公し尽くすことができようというものだ。

○着想と判断力を生みだす法

生れつきによりて、即座に知恵の出る人もあり、退いて枕をわりて案じ出す人もあり。この本を極めて見るに、生れつきの高下はあれども、四誓願に押し当て、私なく案ずる時、不思議の知恵も出づるなり。皆人、物を深く案ずれば、遠き事も案じ出すやうに思へども、私を根にして案じ廻らし、皆邪智の働きにて、悪事となる事のみなり。愚人の習ひ、私なくなること成りがたし。さりながら、事に臨んで先づその事を差し置き、胸に四誓願を押し立て、私を除きて工夫いたさば、大はづれあるべからず。

(訳) 生まれつきのせいで、即座に知恵の出せる人もあれば、あとで枕を叩き割るほどに、考えあぐねた末、思案を示す人もいる。とにかく、その人その人、生まれつきの差違はあるものの、四つの誓願(一〇一頁〝夜陰の閑談〟の四誓願のこと)にもとづき、〝私〟(私心・主観)を捨てて考えるとき、いままでに思いもよらなかったような知恵すらでてくるものである。

だれでも、ものごとをじっくりとよく考えさえすれば、どんな難解なことでも考え出せるように思うかもしれないが、〝私〟を基本にして判断したのでは、いくら考えてもすべてが邪智の働きとなってしまい、役立たずになるばかりである。

とはいうものの、おろかな人間どもには、〝私〟をなくすということはむずかしい。だから、事にのぞんだら、そのことを別にして、まず原則にしたがい、〝私〟を除いて、いろいろ考えれば、大きくはずれることはなくなるだろう。

○自分の能力の限界を知ること

我が知恵一分の知恵ばかりにて万事をなす故、私となり天道に背き、悪事となるなり。脇より見たる所、きたなく、手よわく、せまく、はたらかざるなり。真の知恵にかなひがたき時は、知恵ある人に談合するがよし。その人は、我が上にてこれなき故、私なく有体の知恵にて了簡する時、道に叶ふものなり。脇より見る時、根づよく慥かに見ゆるなり。たとへば大木の根多きが如し。一人の知恵は突つ立ちたる木の如し。

（訳）われわれは、わずかな知恵しかないのに、その知恵ですべてのものごとを判断し処理しようとするから、かえって邪念となり、天の道理に背き、ついには悪事と化すのである。ほかからみていると、そんな知恵は汚なくて、よわよわしく、せまいうえに、どうしても動きがにぶいものだ。

自分自身のよりよい知恵が思い浮かばないときは、それらしい知恵者と話し合ってみるのもよいだろう。その人は自分のことではないものだから、私心なく素直に判断することができ、けっきょくは、道理にもかなうことになる。これはたいせつなことで、そばからみていると、根気づよく確実なものにみえるのである。たとえば、大木の根が、たくさんあって太いようなものである。ひとりの知恵にはかぎりがあって、あたかも一本そびえて立っている立木のようなものである。

○批判の仕方

人に意見をして疵を直すと云ふは大切なる事にして、然も大慈悲にして、御奉公の第一にて候。意見の仕様、大いに骨を折ることなり。およそ人の上の善悪を見出すは易き事なり。それを意見するもまた易き事なり。大かたは、人の好かぬ云ひにくき事を云ふが親切のやうに思ひ、それを請けねば、力に及ばざる事と云ふなり。何の益にも立たず。ただ徒らに、人に恥をかかせ、悪口すると同じ事なり。我が胸はらしに云ふまでなり。そもそも意見と云ふは、先づその人の請け容るるか、請け容れぬかの気をよく見分け、入魂になり、此方の言葉を平素信用せらるる様に仕なし候てより、さて次第に好きの道などより引き入れ、云ひ様種々に工夫し、時節を考へ、或は文通、或は雑談の末などの折に、我が身の上の悪事を申出し、云はずして思ひ当る様にか、又は、先づよき処を褒め立て、気を引き立つ工夫を砕き、渇く時水を飲む様に請合せて、疵を直すが意見なり。されば殊の外仕にくきものなり。年来の曲なれば、大体にて直らず。我が身にも覚えあり。諸朋輩兼々入魂をし、曲を直し、一味同心に主君の御用に立つ所なれば御奉公大慈悲なり。然るに、恥をあたへては何しに直り申すべきや。

（訳）意見してその人の欠点を直す、ということはたいせつなことであり、慈悲心ともいいかえられる。それは、ご奉公の第一の要件である。

ただ、意見の仕方に骨を折る必要がある。他人のやっていることに対して善悪をさがし出すということはやさしいことで、また、それについて批判することもたやすい。おおかたの人は、人の好かない、言いにくいことを言ってやるのが親切のように思い、それがうけいれられなければ、力が足りなかったとしているようだ。こうしたやり方はなんら役立たずで、ただいたずらに人に恥をかかせ、悪口をいうだけのこととおなじ結果になってしまう。いってみれば、気晴らしのたぐいだ。

意見というのは、まず、その人がそれをうけいれるか否かをよく見分け、相手と親しくなり、こちらのいうことを、いつも信用するような状態にしむけるところからはじめなければならない。そのうえで趣味の方面などからはいって、言い方なども工夫し、時節を考え、あるいは手紙などで、あるいは帰りがけなどに、自分の失敗を話しだしたりして、よけいなことは言わなくても思い当たるようにしむけるのがよい。まずは、よいところをほめたて、気分を引き立てるように心をくだいて、のどが渇いたときに水が飲みたくなるように考えさせ、そうしたうえで欠点を直していく、というのが意見というものである。意見というものは、ことのほかしにくいものといえる。だれにでも年来の悪癖みたいなものが身に沁みこんでいるので、そうすぐには直らないということは、私自身にもおぼえのあることだ。友だち一同、つね日ごろ親しくして、悪癖を直し合い、ひとつの心になってご奉公につとめるようになることこそが、ほんとうの慈悲心といえるだろう。それなのに、恥をかかせては、直るべきものも直らないことになってしまう。直るはずもないではないか。

○欠伸(あくび)をとめる法

人中にて欠伸仕り候事、不嗜(ふたしなみ)なる事にて候。不図欠伸出(い)で候時は、額を撫(な)で上げ候へば止(や)み申し候。さなくば舌にて唇(くちびる)をねぶり口を開かず、又襟(えり)の内袖をかけ、手を当てなどして、知れぬ様に仕るべき事に候。くさめも同然にて候。阿呆気(あほうげ)に見え候。この外にも心を付け嗜むべき事なり。

（訳）人なかで欠伸をすることは、慎みを欠く行為である。思いがけず欠伸をしてしまったときは、額をなで上げたりすればとまるものだ。それでだめなら、舌で唇をなめながら口を閉じたままにし、あるいは内袖でかくしたり、手を当てたりして、人に知られぬようにすべきである。くしゃみもまたおなじである。それらのことに気をつけないと、とかく馬鹿のように見えてしまうものだ。このほかにも、気をつけて、つつしむべきことは多い。

○翌日のことは、まえの晩から考えておくこと

翌日の事は、前晩（ぜんばん）よりそれぞれ案じ、書きつけ置かれ候。これも諸事人より先にはかるべき心得なり。何方（いづかた）へ兼約（けんやく）にて御出で候時は、前夜より向様（むかふさま）の事万事万端、挨拶話、時宜等の事迄案じ置かれ候。何方へ御同道申し候時分、御話に何方に参り候時は、先づ亭主の事をよく思ひ入りて行くがよし。和の道なり。礼儀なり。又貴人などへ呼ばれ候時、苦労に思ふて行けば座つき出来ぬものなり。さてさて忝（かたじけ）なき事かな、さこそ面白かるべきと思ひ入りて行きたるがよし。惣（そう）じて用事の外は、呼ばれぬ所へ行かぬがよし。招請に逢はば、さてもよき客振りかなと思はるる様にせねば客にてはなし。いづれその座のすべを前方（まへかた）より服して行くが大事なり。酒などの事が第一なり。立ち

しほが入つたものなり、飽かれもせず、早くもない様にありたきなり。又常々の事にも、馳走など斟酌を仕過ごすも却つてわろきなり。一度二度云ふて、その上には、それを取り持ちたるがよし。計らず行き懸りて留めらるる時などの心得もかくの如きなり。

（訳）翌日のことは、いつもまえの晩から考えて書き付けておくがよい。これも、万事人に先んじて予定を立てておくべき心得である。

殿は、どこかへお出かけなされる折りは、前夜から先方のことをすべて調べ、挨拶や対話の内容を思案しておかれた。あなた方もこれを見習うべきで、どこへお伴を申しつけられても、あるいはお話をうかがいにまいるときでも、まず先方の主人のことをよく考えて行くのがよい。これが、つまりは人の和をはかる道であり、また礼儀でもある。

あるいは高貴な人からよばれたとき、いやなことだと思って行ったりしては、座をとりもつことなどできはしない。なんともありがたい、さぞおもしろいこともあるだろうと思い込んで行くがよい。

とにかく、すべて用事のほかは、よばれないところに行かないほうがよい。招待されたら、まあ、なんとよいお客様ぶりだと思われるようにできないようでは、客に行ったとはいえない。いずれにしても、その座の様子を、まえもって知って行くことがたいせつである。それには、酒の作法などがまずは第一番である。席の立ち方もたいへんなもので、飽きられることもなく、といって、早く帰ってしまうようなこともないようにしたい。また平生、ご馳走にあうとき、あまり遠慮しすぎるのもかえってわるいことである。一、二度遠慮をして、そのうえはご馳走になるのがよい。ふと行きあわせて引きとめられたときの心得も、このようにするのがよい。

○いろんな事態を、まえもって検討しておくこと

覚の士、不覚の士といふ事軍学に沙汰あり。覚の士といふは、事に逢うて仕覚えたるばかりにてはなし。前方に、それぞれの仕様を吟味し置きて、その時に出合ひ、仕果するをいふ。然れば、万事前方に極め置くが覚の士なり。不覚の士といふは、その時に至つては、たとへ間に合はせても、これは時の仕合せなり。前方の僉鑿せぬは、不覚の士と申すとなり。

(訳) 覚の士、不覚の士ということが軍学のなかにある。覚の士というのは、大事に

遭遇して、経験からいろんなことを自分のものにしただけの人をいうのではない。それだけではなく、事前にそれぞれの方法を検討しておいて、いざというときに見事に決着をつける人でなくてはならない。であれば、すべて事前に覚悟し、決めておくのが、覚の士である、といえよう。

不覚の士というのは、いざというときにさいして、たとえ間に合うようにみえても、これはときの幸運からそうなっただけのことである。事前にいろいろ研究しないのは、まさしく不覚の士というべきであろう。

○「水清ければ魚棲まず」

何某当時倹約を細かに仕る由申し候へば、よろしからざる事なり。水至つて清ければ魚棲まずと云ふことあり。およそ藻がらなどのあるにより、その蔭に魚はかくれて、成長するものなり。少々は、見のがし聞きのがしある故に、下々は安穏なるなり。人の身持なども、この心得あるべき事なり。

(訳) ある人、つねづねなにかとこまかな倹約を説いているが、よいことではない。「水清ければ魚棲まず」ということわざがある。藻などがあるからこそ、その蔭に魚はかくれて成長するのである。すこしは、見のがしたり、聞きのがしたりすることがあるから、下々のものは安穏に過ごすことができるのだ。人の品行などについても、この心得が必要である。

○まず、勇気をもって着手せよ

弥三郎（やさぶろう）へ色紙を書かせ、「紙一ぱいに一字書くと思ひ、紙を書き破ると思ふて書くべし。よしあしはそれしやの仕事なり。武士はあぐまぬ一種にて済むなり。」とて染筆なり。

（訳）弥三郎に色紙を書かせるとき、「紙いっぱいに一字だけ書くのだと思い、紙を書きやぶるつもりで書くがいい。出来、不出来は、その気力があるかないかにかかっている。だいたい武士というものは気力が第一で、事を成就できず、つかれていやになるようなことさえなければ、それでいいのだ。」といわれて、色紙を書かせられた。

○志の低い現代サラリーマン

今時の奉公人を見るに、いから低い眼の着け所なり。スリの目遣ひの様なり。大かた身のための欲得か、利発だてか、又は少し魂の落ち着きたる様なれば、身構へをするばかりなり。我が身を主君に奉り、すみやかに死に切つて幽霊となりて、二六時中主君の御事を歎き、事を整へて進上申し、御国家を堅むると云ふ所に眼をつけねば、奉公人とは言はれぬなり。上下の差別あるべき様なし。されば、このあたりに、ぎしと居すわりて、神仏の勧めにても、少しも迷はぬ様、覚悟せねばならず。

(訳)いまどきの奉公人をみていると、こころざしがたいへん低いように思われる。あたかもスリの目のくばりみたいなものである。おおかたは自分のための欲得か、小利口さか、またすこしは心の落ちついているようなのでも、なにかと格好をつけるだけである。しかし、そうした精神ではだめなので、自分のからだを主君に差し出し、すみやかに死にきって幽霊にでもなり、いつも主君の身の上を案じ、問題を整理しては具申し、藩の基礎を案じ固めるというところに着眼しなければ、奉公人とはいえぬものである。そうした点では、上下同じ心がまえでなくてはならない。だから、このあたりにしっかり腰を据えていて、仮りに神仏のお告げがあったとしても、すこしも迷わないように覚悟する必要がある。

○男らしい男がいなくなった風潮

或人の咄に、享庵先年申し候は、「医道に男女を陰陽に当て、療治の差別有る事に候。脈も替り申し候。然るに五十年以来男の脈が女の脈と同じ物になり申し候。爰に気がつき候てより、眼病の療治男の眼も女の療治に仕りて相応と覚え申し候。男に男の療治をして見申し候に、その験これなく候。さては世が末になり、男の気おとろへ、女同前になり候事と存じ候。これは慥かに仕覚え申し候事故、秘事に仕置き候。」と申し候由。これに付て今時分の男を見るに、いかにも女脈にてあるべしと思はるるが多く候。あれは男なりと見ゆるはまれなり。それに付今時少し力み申し候はば、安く上手取る筈なり。さて又男の勇気ぬけ申し候証拠には、しばり首にても切りたる者すくなく、まして介錯などといへば、断りの云ひ勝を利口者・魂の入りたる者などと云ふ時代になりたり。股ぬきなどと云ふ事四五十年以前は男役と覚えて、疵無き股は人中に出されぬ様に候故、独してもぬきたり。皆男仕事血ぐさき事なり。それを今時はたわけの様に云ひなし、口のさきの上手にて物をすまし、少しも骨々とある事はよけて通り候。若き衆心得有りたき事なり。

(訳)　ある人の話だが、医師享庵が、以前、つぎのように述べたそうである。

「医学では男女を陰陽に区別して、治療するにも本来差別があるものだ。脈も男女ではちがっている。しかし、この五十年ほどのあいだに、男の脈が女の脈とおなじような調子に変わってきている。このことに気づいてから、眼病の治療にさいして、男に対しても女の治療法でこと足りるようになった。男に、男にふさわしい治療をしてみてもいっこうにしるしがあらわれず、さては末世ともなり、男の意気がおとろえて女同様になってしまったかと考えている。これはたしかに体験したことなので、秘密にしてある。」

このことを念頭において最近の男をみると、いかにも女脈でもあろうか、と思われることが多く、あれはまことの男だとみえるのはまずまれである。それだけに、ちかごろはすこしの努力によって、かんたんに上位のものになることが可能である。

それにしても、男の勇気が抜けてしまった証拠には、しばり首の罪人をすら斬った者がすくなく、まして切腹の介添をしなさい、などといえば、じょうずにことわったほうが利口者、などといわれる時代になってしまった。〈股ぬき〉などということも、四、五十年以前はもっぱら男がやるものとされ、疵のない太ももなどは人なかに出されぬしろものであったから、ひとりでも疵をつけたものだ。みな男の仕事、血気にはやったこととされていた。それを、ちかごろは阿呆のようなこととされ、口さきばかりの達者さでものごとを処理し、すこしでも骨の折れそうなことはよけてとおるようになってしまった。若者たちにも、こうした点についていろいろ考えてもらいたいものではある。

○「この世はすべてからくり人形なり」

幻はマボロシと訓むなり。天竺にては術師の事を幻出師と云ふ。世界は皆からくり人形なり。幻の字を用ひるなり。

(訳)幻という文字はマボロシと読むのである。インドでは呪術師のことを幻出師という。この世はすべてからくり人形のようなものである。だからこそ幻の文字を用いるのだ。

○「傍目八目」の効用

不義を嫌うて義を立つる事成りがたきものなり。然れども、義を立つるを至極と思ひ、一向に義を立つる故に却って誤多きものなり。義より上に道はあるなり。これを見付くる事容易に成りがたし。高上の賢智なり。これより見る時は、義などは細きものなり。こは我が身に覚えたる時ならでは、知れざるものなり。但し我こそ見付くべき事成らずとも、この道に到り様はあるものなり。そは人に談合なり。たとへ道に至らぬ人にても、脇から人の上は見ゆるものなり。碁に脇目八目と云ふが如し。念々非を知ると云ふも、談合に極るなり。話を聞き覚え、書物を見覚ゆるも、我が分別を捨て、古人の分別に付く為なり。

(訳) 悪をきらって正義をとおすということは、なかなかむずかしいものである。けれども、正しい条理をとおすことだけをいちばんよいことと信じ、ひたすら正義を尊ぶところに、かえって誤りの多くあらわれるものなのである。

なぜなら、義とか不義とかを越えたところに、真理は存在するからなのだ。これを発見するのは、かなりむずかしいことである。それをなしとげるものは、もっともすぐれた叡知の持ち主といってよい。

この点からながめれば、条理などというものはちいさなものである。自分の身に感じたときでなければ、知ることはできない。

しかし、自分でそれを見いだし得なかったとしても、この道に至りつく方法はあるものである。それは、人と話し合うことだ。たとえ道をきわめ得ない人であっても、他人のことならよくわかるものである。碁でいう傍目八目ということばのようなものだ。「思いめぐらして非を知る」ということばがあるが、こうしたことも、話し合いにかぎるものである。話を聞いたり、書物を見たりして知るというのも、自分勝手な分別を捨てて、古人の考えにしたがうためである。

○上には上があるものだ

或剣術者の老後に申し候は、「一生の間修業に次第があるなり。下の位は修業すれども物にならず、我も下手と思ひ、人も下手と思ふなり。この分にては用に立たざるなり。中の位はいまだ用には立たざれども、我が不足目にかかり、人の不足も見ゆるものなり。上の位は我が物に仕なして自慢出来、人の褒むるを悦び、人の不足をなげくなり。これは用に立つなり。上々の位は知らぬふりして居るなり。人も上手と見るなり。大方これまでなり。この上に、一段立ち越え、道の絶えたる位あるなり。その道に深く入れば、終に果もなき事を見つくる故、これまでと思ふ事ならず。我に不足ある事を実に知りて、一生成就の念これなく、自慢の念もなく、卑下の心もこれなくして果すなり。柳生殿の、『人に勝つ道は知らず、我に勝つ道を知りたり。』と申され候由。昨日よりは上手になり、今日よりは上手になりして、一生日々仕上ぐる事なり。

これも果はなきといふ事なり。」と。

（訳）ある剣士が、老後につぎのようなことをいわれたそうである。

「一生のあいだの修業には、順序というものがあるのだ。下の位は、修業をしてもものにならず、自分も下手と思い、人も下手と思うものである。いうまでもなく、こういう状態ではものの役に立つはずはない。中の位は、まだ役には立たないけれども、自分のたりない点が目につき、人の欠点もわかるもののことをいう。上の位はどうかというと、すべてを自分自身のものに消化して、自慢ができ、人がほめるのをよろこび、他人のたりない点を嘆くことのできるものである。これは、役立つものといえよう。上の上といえる人は、表面に出さず、知らないふりをしているものである。それでいて人も上手と思うようになる。まあ、ふつうの場合、多くはここまでである。

この上に、いっそう超越した至極の境地といったものがある。その道にふかくはいれば、終わりのないことに気づき、これで満足だということにはならない。

だから、自分のたりない点をよく知って、一生のあいだ、これでじゅうぶんだなどと考えることもなく、もちろん慢心もなく、といって卑下する心もなく、そのようにして過ごすべきである。

柳生殿（徳川将軍家剣道ご指南役）が、『人に勝つ法など知らぬ。自分に勝つ法だけを知っているのだ。』といわれたそうである。きのうよりは上達した、きょうよりはさらに上達した、といって、一生のあいだ日々仕上げていくものなのである。修業とは、このように終わりのないものといえよう。」

○「大事な思案は軽くすべし」

直茂公の御壁書に、「大事の思案は軽くすべし。」とあり。一鼎の註には、「小事の思案は重くすべし。」と致され候。およそ大事と云ふは、二三箇条ならではあるまじく候。これは平生に詮議して見れば知れてゐることなり。これを前もつて思案し置きて、大事の時取り出して軽くする事と思はるるなり。兼ては不覚悟にして、その場に臨んで軽く分別する事も成りがたく、図に当る事不定なり。然れば兼て地盤を堅固に据ゑて置くが、「大事の思案は軽くすべし。」と仰せられ候箇条の基と思はるる事なり。

（訳）直茂公の遺訓に、「大事な思案は軽くすべし。」というのがある。石田一鼎（佐賀の儒者。山本常朝の師）は注記して、「小さな思案は重くすべし。」と述べた。大事というからにはそう多くなく、せめて二つ三つのことがらであろう。このようなことは、ふだんから考えておけばわかることである。だから、大事についてはまえもって思案しておいて、いざというときそれを思いだして、かんたんに処理する必要があるのだ。とはいうものの、逆に日ごろの覚悟がたりないと、その場にのぞんで速断することがむずかしく、うまくいかないことにもなりかねない。

だから、つね日ごろから心を決めておくことが、「大事のことは軽くすべし。」といわれたことの基本になるものではなかろうか。

○「死のうか生きようかと思うときは、死んだほうがよい」

（前略）志田吉之助、「生きても死してものこらぬ事ならば生きたがまし。」と申し候。志田は曲者にて、戯れに申したる事にて候を、生ひ立ちの者共聞き誤り武士の疵になる事を申し出づべくと存じ候。この追句に、「喰ふか喰ふまいかと思ふものは喰はぬがよし、死なうか生きやうかと思ふ時は死したがよし。」と仕り候。

（訳）（前略）志田吉之助（竜造寺家の功臣）が、「生きても死んでも残らないものなら、生きたほうがよい。」といった。志田はしたたかな者で戯れにいったことを、若い者どもが聞きちがって、武士の名折れになるようなことを申しだしたなどと思ったものだ。

この追い書きに、「食うか食うまいかと思うものは、食わないほうがよい。死のうか生きようかと思うときは、死んだほうがよい。」とある。

○あやまちのひとつもない人間は、信用できない

何がし立身御僉議の時、この前酒狂仕り候事これあり、立身無用の由衆議一決の時、何某申され候は、「一度誤これありたる者を御捨てなされ候ては、人は出来申すまじく候。一度誤りたる者はその誤を後悔いたす故、随分嗜み候て御用に立ち申し候。立身仰せ付けられ然るべき。」由申され候。何がし申され候は、「その方御請合ひ候や。」と申され候。「成程某受に立ち申し候。」と申され候。その時何れも、「何を以て受に御立ち候や。」と申され候。「一度誤りたる者に候故請に立ち申し候。誤一度もなきものはあぶなく候。」と申され候に付て、立身仰せ付けられ候由。

(訳) ある人物の栄転に関して審議しているとき、その人物が以前酒におぼれていたことがわかったので、栄転はさせないということが、みんなの意見で決まりそうになったさい、ある人がいうには、「一度あやまちを犯した者を、まったくみとめず捨ててしまわれては、すぐれた人物は出てこないものである。一度まちがった者は、その

まちがいを後悔するものだから、なにかとつつしんで、あんがいお役に立つようになるものだ。栄転をおおせつけられてよい。」ということを述べた。それに対してある人のいうには、「あなたが請け合うのか。」とのことであった。その人は、「もちろん私がりっぱに請け合いましょう。」といわれたそうだ。そのとき、だれもが、「どのような理由をもって請け合いなされるのか。」といったところ、その人は、「一度まちがった者だからひきうけたのだ。あやまちのひとつもない者は、かえってあぶなくてしようがない。」といわれたので、栄転のことをお命じになったということである。

○勝負を度外視して、死ぬ気でやること

何某、喧嘩(けんか)打返しをせぬ故恥になりたり。打返しの仕様は踏みかけて切り殺さるる迄(まで)なり。これにて恥にならざるなり。仕果(しおほ)すべきと思ふ故、間に合はず。向(むかふ)は大勢などと云ひて時を移し、しまり止めになる相談に極るなり。相手何千人もあれ、片端よりなで切りと思ひ定めて、立ち向ふ迄にて成就なり。多分仕済ますものなり。又浅野殿浪人夜討(ようち)も、泉岳寺にて腹切らぬが越度(をちど)なり。又主(あるじ)を討たせて、敵を討つ事延々(のびのび)なり。もしその内に吉良(きら)殿病死の時は残念千万なり。(中略)

総じて斯様の批判はせぬものなれども、これも武道の吟味なれば申すなり。前方に吟味して置かねば、行き当りて分別出来合はざる故、大方恥になり候。咄を聞き覚え、物の本を見るも、兼ての覚悟の為なり。就中、武道は今日の事も知らずと思ふて、日々夜々に箇条を立てて吟味すべき事なり。時の行掛りにて勝負はあるべし。恥をかかぬ仕様は別なり。死ぬ迄なり。その場に叶はずば打返しなり。これには知恵も業も入らぬなり。曲者といふは勝負を考へず、無二無三に死狂ひするばかりなり。これにて夢覚むるなり。

(訳)ある人が喧嘩の仕返しをしないために恥をかいたことがある。仕返しの方法といったものは、踏み込んで斬り殺されるまでやることに尽きる。ここまでやれば恥にはならない。うまくやりとげようと思うから、かえって間に合わないことになるのだ。むこうはおおぜいだからこれはとてもたいへんなことだ、などといっているうちに時間がたってしまい、ついに終わりにしてしまう相談にでもなるのが落ちだ。たとえ相手がなん千人いたとしても、片っぱしからなで斬りにしようと決心して立ちむかうことで、ことの決着がつく。それでたぶんうまくいくものだ。また、浅野家の浪人たちの夜襲にしても、泉岳寺で腹を切らなかったことがそもそも失敗だといえる。主人がやられたのに、敵を討ちとることがのびのびとなっていたが、もしそのうちに吉良殿が病死でもされてしまったら、まったくもって、とりかえしのつかないことになる。

(中略)

多くの場合、このような批判はしないものだが、これも武士道の研究なので申し述べるのだ。まえまえから調べておかなくては、事に当たって考えることはできかねるものだから、いざというとき大方は恥をかく結果になってしまう。

話を聞きおぼえたり、ものの本質をみきわめようとするのも、まえまえから覚悟をさだめるためである。なかでも武士道では、どんなときに覚悟の程をためされるような事態が起こるかもしれないと考えて、日夜ことの筋道を整理して調べる必要がある。

ことのいきがかりで、勝つことも負けることもあるものだ。だが、恥をかかないようにすることは、勝ち負けとはまた別である。とにかく、死ぬだけである。その場でうまくいかなかったら、くりかえすだけである。これには、知恵もわざも必要ではない。したたか者というのは、勝負を考えず、しゃにむに死に狂いするだけの者のことをいう。これで夢がさめようというものだ。

○自分の定見をもたないこと

一世帯構ふるがわろきなり。精を出して見解などのあれば、はや済まして居る故間違ふなり。尤も精を出して先づ種子は慥かに握つて、さてそれの熟する様にと修行する事は、一生止むる事はならず。見つけたる分にて、その位に叶ふ事は思ひもよらず、只これも非也非也と思ふて、何としたならば道に叶ふべきやと一生探促し、心を守りて打ち置く事なく、修行仕るべきなり。この内に則ち道はあるなりと。

(訳) きまった、固定的な考えをもつことがわるいのである。精進して定見などできると、もうそれで終わったと早合点してしまうからだめなのだ。精進に精進をかさねて、まず基本的なことだけはしっかり自分のものとし、やがてそれが成熟するように心がけて修行することである。とにかく修行は一生やめてはいけない。自分で見いだしたぐらいのものをもって、これでもうよいと思うことなど、とんでもない話だ。あれもこれもまだまだと思って、どうしたら真実を発見できるだろうかと、一生それをさがし求め、心から修行すべきなのである。こうした修行のうちにこそ、つまりは真の道理といったものが見いだされるのである。

○平生の心がけ

五六十年以前迄の士は、毎朝、行水、月代、髪に香をとめ、手足の爪を切って軽石にて摺り、こがね草にて磨き、懈怠なく身元を嗜み、尤も武具一通りは錆をつけず、埃を払ひ、磨き立て召し置き候。身元を別けて嗜み候事、伊達のやうに候へども、風流の儀にてこれなく候。今日討死討死と必死の覚悟を極め、若し無嗜みにて討死いたし候へば、かねての不覚悟もあらはれ、敵に見限られ、穢なまれ候故に、老若ともに身元を嗜み申したる事にて候。事むつかしく、隙つひえ申すやうに候へども、武士の仕事は斯様の事にて候。別に忙はしき事、隙入る事もこれなく候。常住討死の仕組に打ちはまり、篤と死身に成り切つて、奉公も勤め、武辺も仕り候はば、恥辱あるまじく、斯様の事を夢にも心つかず、欲得我が儘ばかりにて日を送り、行当りては恥をかき、それも恥とも思はず、我さへ快く候へば、何も構はずなどと云つて、放埒無作法の行跡になり行き候事、返す返す口惜しき次第にて候。平素必死の覚悟これなき者は、必定死場悪しきに極り候。又かねて必死に極め候はば、何しに賤しき振舞あるべきや。このあたり、よくよく工夫仕るべき事なり。又三十年以来風規相替はり、若侍どもの出合ひの話に、金銀の噂、損徳の考へ、内証事の話、衣装の吟味、色欲の雑談ばかりにて、この事のなければ一座しまぬ様に相聞え候。是非なき風俗になり行き候。昔は二十、三十ども迄は素より心の内に賤しき事持ち申さず候故、詞にも出し申さず候。

年輩の者も不図申し候へば、怪我の様に覚え居り申し候。これは世上花麗になり、内証方ばかりを肝要に目つけ候故にてこれあるべく候。我身に似合はざる驕りさへ仕らず候へば、兎も角も相済む物にて候。又今時若き者の始末心これあるをよき家持などと褒むるは浅ましき事にて候。始末心これある者は義理欠き申し候。義理なき者はすくたれなり。

（訳）五、六十年まえまでの武士は、毎朝、行水をし、頭髪をそり、髪に香をつけ、手足の爪を切って軽石でこすり、そのうえこがね草でみがいたりして、怠惰にならず、もっぱら身だしなみに気をくばり、しかも武道についてもひととおりのことは一心に励んだものである。身だしなみに気をくばることは、一見しゃれ者みたいにみえるかもしれないが、それは風流心からくるのではない。いますぐにも討死だと決意をし、仮りになんの身だしなみもなしに討死したら、ふだんの気のゆるみもあらわれ、敵に馬鹿にされ、いやしまれたりするので、老いも若きも身だしなみに気をくばったのである。こうしたことは、めんどくさく、時間のかかるもののように思われるだろうが、武士の仕事はこのようなものなのである。べつにいそがしく、手間どることでもないのだ。いつも討死のつもりで死身になりきって、奉公にも精出し、武芸にもはげめば、恥をかくこともないものを、そのことに気がつかず、欲得、わがままばかりで一日一日を過ごし、いざというときには恥をかくが、それを恥とも思わず、自分だけがよければあとはどうなってもかまわないなどといって、とんでもない行状になってしまうなど、かえすがえすも残念なことだ。

ふだんから必死の決意のないものは、かならずやわるい死に方をするにきまっているのだ。また、ふだん必死の思いで過ごしていれば、どうしていやしむべき行為などするだろうか。このへんの事情をよく考えるべきである。

また、この三十年このかた、諸事万端が変わって、若侍たちが出会って話し合うことは、すべて金、銀の噂や、損得の考え、家計のこと、衣服の品定め、色欲の雑談だけで、こうした話題がなければ一座が白けてみえるというのは、まことに困った状態になったものだ。むかしは、二、三十歳ぐらいまでは、もとより、心のなかにいやしい考えをもってはいなかったから、とうぜんことばにも出さなかった。また、年輩の者もついうっかり、そのようなことを言いだしたりすれば、怪我でもしたように考えたものだ。こうした風潮は世相が派手になり、金銭のことばかりを大事なもののように考えているから生まれるのではなかろうか。ふつりあいなぜいたくさえしなければ、とにかく、そんな考えはなくなってしまうものなのである。

また、若い人が倹約心などあるのを、よいやりくりであるなどとほめるのは、浅ましいかぎりである。倹約心などのあるものは、けっきょくは義理を欠くことになるにきまっている。義理を忘れるものは、いうまでもなく心いやしく、劣った者である。

○どんな人間にも、学ぶべき点がある

一鼎の咄(はなし)に、よき手本を似せて精を出し習へば、悪筆も大体の手跡になるなり。奉公人もよき奉公人を手本にしたならば、大体にはなるべし。今時よき奉公人の手本がなきなり。それゆゑ、手本作りて習ひたるがよし。作り様は、時宜作法一通りは何某(なにがし)、勇気は何某、物言ひは何某、身持正しき事は何某、律儀なる事は何某、つつ切れて胸早くすわる事は何某と、諸人の中にて、第一よき所、一事宛(づつ)持ちたる人の、そのよき事ばかりを選び立つれば、手本が出来るなり。万(よろ)づの芸能も師匠のよき所は及ばず、悪しき曲(くせ)を弟子は請け取りて似するものばかりにて、何の益(やく)にも立たざるなり。時宜よき者に不律儀なる者あり。これを似するに多分時宜は差し置きて、不律儀を似するばかりなり。よき所に心付けば、何事もよき手本師匠となる事に候由。

(訳) 儒者石田一鼎のいうところによれば、習字をするさい、よい手本に似せていっ

しょうけんめいに練習すれば、悪筆家もいちおう見られる文字が書けるようになるということだ。

奉公人にしても、よい奉公人を手本にするなら、まあまあのところまでいくだろう。ちかごろは、奉公人のよい手本になるような者がないので、やむを得ず自分から手本をつくって練習するのがよかろう。つくり方は、礼儀作法一式はだれ、勇気はだれ、ものの言い方はだれ、品行の正しいのはだれ、律儀な人はだれ、いちはやく度胸を定めるのはだれ、といったぐあいに多くの人のなかから、それぞれの長所や特徴をえらんで学びとるようにすれば、結果として、よい手本ができようというものだ。

すべての芸ごとにおいても、先生のよいところは学びにくく、わるいくせなどばかり弟子はひきついでまねをしがちだが、いうまでもなく、こうしたことはなんの役にも立たないのである。礼儀は正しいが、律儀でない人がいる。これを見習う場合、とかく礼儀のほうはさしおいて、律儀でない点だけをまねしがちのものである。他人のよい点に気がつくようになれば、だれしもよい手本、りっぱな先生となることだろう。

○酒の座の心得

大酒(たいしゅ)にて後れを取りたる人数多(あまた)なり。別して残念の事なり。先づ我が丈け分をよく覚えその上は飲まぬ様にありたきなり。その内にも、時により、酔ひ過す事あり。酒座にては就中気をぬかさず、不図事出来ても間に合ふ様に了簡あるべき事なり。又酒宴は公界ものなり。心得べき事なり。

（訳）大酒を飲んで失敗した人はかず多い。とりたてて残念なことである。まずは自分の酒量をよく知って、それ以上は飲まないようにしたいものだ。そうしていても、ときによっては酔いすごすことがある。酒の座ではいつも気をぬかずにいて、思いもかけぬ出来ごとが起こっても、じゅうぶん対処できるように考えるべきである。酒宴は、人の眼の多い晴れの場所なのだから、気をつけなければならない。

○しょげかえるべからず

人の難に逢うたる折、見舞に行きて一言が大事の物なり。その人の胸中が知るるものなり。兎角武士は、しほたれ草臥れたるは疵なり。勇み進みて、物に勝ち浮ぶ心にてなければ、用に立たざるなり。人をも引立つる事これあるなり。

（訳）人が災難に会ったとき、見舞いに行ったさいの一言がたいへん重要なのである。

その一言で、その人の気持ちがわかるものだからだ。とにかく武士というものは、しょげかえってくたびれた様子をしているのはだめなので、勇猛突進し、すべてのものに勝ちまくるような気持ちでなかったら、役に立ちはしない。人を引き立てることも、またこうした点にある。

○「大雨の戒め」

大雨の感と云ふ事あり。途中にて俄雨(にはかあめ)に逢ひて、濡れじとて道を急ぎ走り、軒下などを通りても、濡るる事は替らざるなり。初めより思ひはまりて濡るる時、心に苦しみなし、濡るる事は同じ。これ万づにわたる心得なり。

(訳)「大雨の戒め」ということがある。途中でにわか雨にあってぬれてはかなわないと道をひた走りして軒下などをとおったところで、ぬれることにかわりはない。はじめからぬれるものだと得心していれば、ぬれたとしてもなんら苦にはならない。これはすべてのことに共通する心得である。

○相手をのり越えた気持ちでいること

中道は物の至極なれども、武辺は、平生にも人に乗り越えたる心にてなくては成るまじく候。弓指南に、左右ろくのかねを用ふれども、右高になりたがるゆゑ、右低に射さする時、ろくのかねに合ふなり。軍陣にて、武功の人に乗り越ゆべきと心掛け、強敵を討ち取るべしと、昼夜望みをかくれば、心猛く草臥もなく、武勇を顕はす由、老士の物語なり。平生にもこの心得あるべきなり。

（訳）中庸ということは、人間にとってたしかに行きついた境地だけれども、武芸に関しては、中庸などといった構え方をせず、ふだんでも人をのり越えたような気持ちになっていなくてはつとまらないものである。

弓の指導に、左右平らなかねを使うが、右高にとかくなりたがるから、右を低目にして射るとき、平らなかねにぴたりと当たるのである。

戦いのさなかなどで、武勲ある人よりいちだんとりっぱな働きをしようと考え、どうしても強敵を討ちとろうと昼夜の区別なく思案すれば、勇猛果敢、つかれることもなく武勇をあらわすのだ、ということ、老勇士の物語である。ふだんでも、こうした心得はもたなければならない。

○「始めに勝つが、始終の勝なり」

鉄山、老後に申し候は、「取手は相撲には違ひ、一旦下になりても、後に勝ちさへすれば済む事と心得罷(まか)り在り候。近年存じ当り候は、一旦下になりて居り候時、若(も)し誰ぞ取りさかへ候はば負けになるべし。始めに勝つが始終の勝なり。」と申し候由。

（訳）鉄山が老後にいったことは、「組打ちは相撲とはちがい、はじめはいったん下に組み伏せられていても、最後に勝ちさえすればそれでいいと思っていた。ところが、近ごろ考えたことは、いったん下になっているとき、もしだれかが双方を引き分ければ、けっきょく負けたことになってしまうということだ。はじめに勝つことがつねに勝つことだ。」と。

○子どもの育て方

武士の子供は育て様あるべき事なり。先づ幼稚の時より勇気をすすめ、仮初(かりそめ)にもおどし、だます事などあるまじく候。幼少の時にても臆病気これあるは一生の疵なり。親々不覚にして、雷鳴の時もおぢ気をつけ、暗がりなどには参らぬ様に仕なし、泣き止(や)ますべきとて、おそろしがる事などを申し聞かせ候は不覚の事なり。又幼少にして強く叱り候へば、入気（いりき）になるなり。又わるぐせ染み入らぬ様にすべし。染み入りてよりは意見しても直らぬなり。物言ひ、礼儀など、そろそろと気を付けさせ、欲義など知らざる様に、その外育て様にて、大体の生れつきならば、よくなるべし。又女夫（めおと）仲悪しき者の子は不孝なる由、尤（もっと）もの事なり。鳥獣さへ生れ落ちてより、見馴れ聞き馴るる事に移るものなり。又母親愚にして、父子仲悪しくなる事あり。母親は何のわけもなく子を愛し、父親意見すれば子の贔負（ひいき）をし、子と一味するゆゑ、その子は父に不和になるなり。女の浅ましき心にて、行末を頼みて、子と一味すると見えたり。

（訳）武士の子どもを育てるためには、一定の方式がある。まず、幼少のころから勇気を鼓舞し、仮りにも、おどしたり、だましたりすることなどあってはならない。たとえちいさいころであっても、臆病心のあるのは一生の疵となるものである。親たちの不注意から、雷の音におじけづかせたり、暗がりなどへは行かせないようにし、泣きやまそうと思って、こわがることを話して聞かせたりするのはいけないことだ。また、ちいさいころつよく叱ったりすると、内気な人間になってしまう。とにかく、わるいくせが身にそまらないようにしなければならない。いったんそまってしまうと、意見をしても直りはしない。ものの言い方や礼儀など、しだいに気づくようにさせ、欲を知らぬようにさせたい。そのほかは育て方で、だいたいふつうの生まれつきの者なら、なんとかいくだろう。

また、夫婦仲のわるいものの子は不孝だというが、もっともなことだ。鳥獣でさえ、生まれおちてより、見聞きするものに染まるものだから、環境にはよく注意しなければならない。

また、母親が愚かなため、父と子の仲がわるくなることがある。母親は子どもを溺愛し、父親が意見をすると、子どものひいきをして、子どもとしめし合わせたりするものだから、その子はさらに父親と仲がわるくなってしまうのだ。女のあさはかな気持ちから、将来のことを打算して、子どもとしめし合わせる結果になってしまうのだろう。

○芸は身を滅ぼす

芸は身を助くると云ふは、他方の侍の事なり。御当家の侍は、芸は身を亡ぼすなり。何にても一芸これある者は芸者なり、侍にあらず。何某は侍なりといはるる様に心懸くべき事なり。少しにても芸能あれば侍の害になる事と得心したるとき、諸芸共に用に立つなり。この当り心得べき事なり。

（訳）芸は身を助けるというが、それは他藩の侍のことである。ご当家の侍にとっては、芸は身を滅ぼす基だ。なにごとでも一芸に堪能なものは、技芸者であって侍ではない。なんのたれがしは侍であるといわれるように心がけるべきで、すこしでも技芸のあるのは、侍にとって害になるものだと知ったとき、はじめて諸芸が役立つようになるのだ。この点をじゅうぶん承知しておく必要がある。

○案ずるより生むがやすし

何某申し候は、「浪人などと云ふは、難儀千万この上なき様に皆人思ふて、その期には殊の外しほがれ草臥る事なり。浪人して後は左程にはなきものなり。前方思ふたるとは違ふなり。今一度浪人したし。」と云ふ。尤もの事なり。死の道も、平生死習ふては、心安く死ぬべき事なり。災難は前方了簡したる程にはなきものなるを、先を量って苦しむは愚かなる事なり。奉公人の打留めは浪人切腹に極りたると、兼て覚悟すべきなり。

（訳）ある人が、「浪人などというものは、苦労もなみたいていのものではないようにだれしも思って、そうなった場合、ことのほかに打ちしおれ、まいってしまうものである。ところが、浪人したのちはそれほど心配したものではなく、まえに考えていたのとはまったくのちがい。もう一度浪人してみたいものだ。」といった。このことばはもっともなことで、死に関しても、日常つねに気持ちの上で死ぬ練習をしていれば、いざというとき安らかに死ぬことができようというものである。災難というものは事前に考えたほどのものではないので、まえもって苦しむのはばかばかしいことだ。奉公人の終着点は、浪人・切腹にきまっていると、はじめより覚悟しておくべきである。

○「人の心を見定めようと思えば、病気をしろ」

「人の心を見んと思はば煩へ。」と云ふことあり。日頃は心安く寄合ひ、病気又は難儀の時大方にする者は腰ぬけなり。すべての人の不仕合せの時別けて立ち入り、見舞・付届(つけとどけ)仕るべきなり。恩を受け候人には、一生の内疎遠にあるまじきなり。斯様(かよう)の事にて、人の心入れは見ゆるものなり。多分我が難儀の時は人を頼み、後(のち)には思ひも出(いだ)さぬ人多し。

（訳）「人の心を見定めようと思ったら、病気をしろ。」ということばがある。日ごろは心安くつき合いながら、病気や災難にさいして知らん顔をするものは、卑怯者である。なんといっても人の不仕合わせなときには、親身になってつき合い、見舞いや届け物をする必要がある。恩をうけた人には、一生のあいだ疎遠になってはいけない。このようなことで、人の真情といったものはわかるのである。ところがふつうの場合、自分が困っているときは人だのみをするくせに、あとではまるで思い出さない人が多い。

〇人の盛衰は、しょせん運命である

盛衰を以て、人の善悪は沙汰されぬ事なり。盛衰は天然の事なり。善悪は人の道なり。されど、教訓の為には盛衰を以て云ふなり。

（訳）人の身の盛衰によって、その人の善悪を論じることはできない。盛衰とは、しょせん自然のなりゆきであり、善悪は人間の判断によるものだからだ。しかしながら、教訓のためには、人の盛衰を、善悪の結果であるかのように言いやすいものである。

○クビを切る時期

山本前神右衛門、召使の者に不行跡の者あれば、一年のうち、何となく召し使ひ、暮になり候てより無事に暇を呉れ申し候。

（訳）山本前神右衛門（常朝の父）は使用人に不心得者があったときは、一年間さりげなく召し使って、暮れになってから、ぶじにひまをくれたということである。

○利口さを顔に出す者は成功しない

風体の修業は、不断鏡を見て直したるがよし。十三歳の時、髪を御立てさせなされ候に付て、一年ばかり引き入り居り候。一門共兼々申し候は、「利発なる面にて候間、やがて仕損じ申すべく候。殿様別けて御嫌ひなさるるが、利発めき候者にて候。」と申し候について、この節顔付仕直し申すべしと存じ立ち、不断鏡にて仕直し、一年過ぎて出で候へば、虚労下地と皆人申し候。これが奉公の基かと存じ候。利発を面に出し候者は、諸人請け取り申さず候。ゆりすわりて、しかとしたる所のなくては、風体宜しからざるなり。うやうやしく、にがみありて、調子静かなるがよし。

（訳）姿格好をただす修業は、ふだん鏡を見て直すのがよい。私は十三歳の時に髪を立てたが、一年ばかり家に引きこもっていた。なぜかというと、かねがね一門の人が、「あの子は利口そうな顔をしているので、やがては失敗してしまうだろう。殿様がとりわけておきらいなさるのは、利口そうな様子をした者である。」といっていたので、顔つきを直そうと思いたって、つね日ごろ鏡を見て直し、一年過ぎて出むいていったときは、なんだか病人みたいだ、とみんなが言ったものだが、これがつまりはご奉公の基本だと思った。

利口さを顔に出す者は、何かと信用されにくいものである。落ちつきはらい、しゃんとしたところがなくては、姿格好がよいとはいえないのである。うやうやしく、にがみがあって、調子の静かなのがいちばんだ。

○役付者は、上にきびしくあるべきである

目付役は、大意の心得なくば害になるべきなり。目付を仰（おほ）せ付け置かれ候は、御国御治めなさるべきためにて候。殿様御一人にて端々まで御見聞相叶（あひかな）はせざるにつき、殿様の御身持、御家老の邪正、御仕置の善悪、世上の唱へ、下々の苦楽を分明に聞し召され、御政道を御糺（おただ）しなさるべきためなり。上に目を付くるが本意なり。然（しか）るに、下々の悪事を見出し聞き出し、言上致す時悪事たえず、却つて害になるなり。下々に直なる者は稀なり。下々の悪事は御国家の害にはならぬものなり。又究役は科人の言分け立ちて、助かる様にと思ひて究むべき事なり。これも畢竟御為なり。

（訳）目付役（監察官）は、大局的な見地に立つ者でなければ、害になるような役どころである。もとより目付を申しつけおかれるのは、国を治めるためである。殿様がおひとりでは、すみずみのことまで目を届かせるというわけにもいかないので、殿様の素行や、ご家老の邪正、政治むきの善悪、世間の風評、下々の苦楽といったものをよく聞き出され、ご政道をただされるのが主たるつとめだ。だから、目付とは上に対してきびしく目を付ける、というのが本来の意味である。

それなのに、下々の悪事を見いだしたり、聞きだしたりして言いつけるので、かえって悪事が絶えず、害になるのである。下々には、あまりまっとうなものもすくないが、下々の悪事は国家の害になるというほどのものではない。

また理非を明らかにする役どころのものは罪人の言いぶんが立って、なるべく助かるようにと念じて取調べをおこなうべきである。これもついには、お家のためになることなのだ。

○損得だけで、物事を判断してはならない

勘定者はすくたるるものなり。仔細(しさい)は、勘定は損得の考(かんがへ)するものなれば、常に損得の心絶えざるなり。死は損、生は得なれば、死ぬる事をすかぬ故、すくたるるものなり。又学問者は才智弁口にて、本体の臆病、欲心などを仕(し)かくすものなり。人の見誤る所なり。

(訳) 計算高いものは卑怯者である。なぜかというと、計算というのは損得ずくのものなので、いつでも損得の考えがなくならないものだからである。つまり、死ぬことは損、生きることは得なので、けっきょく死ぬことをやめにするから、卑怯者だというのである。

また学問のある者は、才知にたけ、弁舌のさわやかさで、臆病とか、欲得の心とかいった本音をかくしているのである。こうした点は、とかく人の見まちがうところである。

○何事も、死ぬ気でやることだ

「武士道は死狂ひなり。一人の殺害を数十人して仕かぬるもの。」と、直茂公仰せられ候。本気にては大業はならず。気違ひになりて死狂ひするまでなり。又武士道に於て分別出来れば、はや後るるなり。忠も孝も入らず、武士道に於ては死狂ひなり。この内に忠孝はおのづから籠るべし。

(訳)「武士道とは死に狂いである。そうした一人を倒すのに、数十人がかりでもできかねる場合がある。」と直茂公がおっしゃった。正気でいては、大仕事を達成することはできない。気ちがいになって、死に狂いするまでである。また武士道では、思慮がうまれでると、すでにおくれをとったようなものである。武士道にとっては忠孝なども論外なので、ただ死に狂いがあるばかりである。そのなかに、忠孝は自然と宿るものだ。

○困難にぶつかったら、おおいによろこぶこと

大難大変に逢うても動転せぬといふは、まだしきなり。大変に逢うては歓喜踊躍して勇み進むべきなり。一関越えたる所なり。「水増されば船高し。」といふが如し。

(後略)

（訳）たいへん困難なことに出会っても、気を転倒させないというくらいでは、まだまだ未熟な段階である。大きな変事に出会ったときは、おおいによろこび勇んでつき進むべきである。これはいってみれば、ひとつの段階を越えたところである。「水増せば船高し。」（水位が上がれば船は高くなるように、人間も困難にぶつかるたびに大きく成長するものだ）というようなものである。（後略）

○「名人も人なら、われもまた人」

名人の上を見聞して、及ばざる事と思ふは、ふがひなきことなり。名人も人なり、我も人なり、何しに劣るべきと思ふて、一度打ち向はば、最早その道に入りたるなり。「十有五にして学に志すところが聖人なり。後に修行して聖人になり給ふにはあらず。」と一鼎申され候。初発心時弁成正覚ともこれあるなり。

（訳）名人についていろいろ見聞して、およびもつかないとおもうのは、ふがいないことである。名人も人なら、われもまた人、なんで劣るところがあろうかと奮発して、一度対決してみれば、もはやその道にはいっているようなものである。「世に聖者といわれる人は、十五歳ほどで学問に志したところが、すなわち聖人のゆえんなのである。のちのち修行をされて、聖人になられたのではない。」と石田一鼎が述べている。つまり初発心時弁成正覚（最初に志を立てたときに、正しい悟りをもつことができる）というのもこのことなのだ。

○細心の注意と、不断の心がけ

武士は万事に心を付け、少しにても後れになる事を嫌ふべきなり。就中物言ひに不吟味なれば、「我は臆病なり、その時は逃げ申すべし、おそろしき、痛い。」などといふことあり。ざれにも、たはぶれにも、寝言にも、たは言にも、いふまじき詞なり。心ある者の聞いては、心の奥おしはからるるものなり。兼て吟味して置くべき事なり。

（訳）武士はどんなことにでも気をくばり、すこしでも失敗しそうなことはきらうべきである。なかでも、ものの言いように注意をはらわず、「私は臆病者である。そのときは逃げましょう、おそろしい、痛い。」などと言うことがある。こうしたことばは、冗談ごとにも、遊び半分にも、寝言、たわごとにも、つまりどんな片言でも、言ってはならないことばである。心ある者が聞いたら、真意を推測されてしまうものである。いつでも注意しておくべきことである。

○「七呼吸のあいだに判断せよ」

古人の詞に、七息思案と云ふことあり。隆信公は、「分別も久しくすればねまる。」と仰せられ候。直茂公は、「万事しだるきこと十に七つ悪し。武士は物毎手取早にするものぞ。」と仰せられ候由。心気うろうろとしたるときは、分別も埒明かず。なづみなく、さはやかに、凜としたる気にては、七息に分別すむものなり。胸すわりて、突つ切れたる気の位なり。

(訳)古人のことばに、「七呼吸のあいだに思案せよ。」というのがある。竜造寺隆信公は、「思案も時間がながくたてば、なまくらになってしまう。」とおっしゃった。直茂公は、「万事だらだらしたものは、十に七つはわるいことだ。武士は物事すべて手っ取りばやくやる必要がある。」とおっしゃった由。心持ちがうろたえているときは、思案もなかなかきまりがつかないものだ。こだわりなく、さわやかに、凜とした気持ちになっていれば、七呼吸のあいだに判断がつくものだ。落ちついて、ふっきれた気持ちになって思案するのである。

○きらわれる人間と、好かれる人間

少し理屈などを合点したる者は、やがて高慢して、一ふり者と云はれては悦び、我今の世間に合はぬ生れつきなどと云ひて、我が上あらじと思ふは、天罰あるべきなり。何様(なにやう)の能事持ちたりとて、人のすかぬ者は役に立たず。御用に立つ事、奉公する事には好きて、随分へりくだり、朋輩(ほうばい)の下に居るを悦ぶ心入れの者は、諸人嫌はぬ者なり。

(訳) すこし理屈などを知った者は、やがて高慢になり、ひとかどの者だといわれてはよろこび、自分はいまの時代にはもったいない人間だなどといって、自分より才能のある人間はいないように思ったりするのは、かならず天罰が当たるにちがいない。どんな才能をもっていようとも、人から好かれない者は役に立たない。ものの役に立ち、仕事が好きで、ずいぶんとへりくだり、同僚の下風(かふう)にいても(いやな顔ひとつみせず、むしろ)よろこぶくらいの心がけの者は、だれからもきらわれないものである。

○若いうちに出世しすぎてはいけない

若き内に立身して御用に立つは、のうぢなきものなり。発明の生れつきにても、器量熟せず、人も請け取らぬなり。五十ばかりより、そろそろ仕上げたるがよきなり。その内は諸人の目に立身遅きと思ふ程なるが、のうぢあるなり。又身上崩しても、志ある者は私曲の事にてこれなき故、早く直るなり。

（訳）若いうちに出世してお役に立つのは、効果のないものである。たとえ、どのように利口な生まれつきだとしても、才器が成熟していないうえ、人もじゅうぶんには納得しないからである。五十歳ぐらいになってから、徐々に仕上げるのがよいのである。そうこうして、多くの人には出世がおそいと思われるくらいのほうが、本当のものの役に立つというものである。

また、たとえ身代をもち崩しても、志のある者は、わが身の不正な利得を計ろうとしたことではないので、早く立ち直るものなのである。

○「七転び八起き」

浪人などして取り乱すは沙汰の限りなり。勝茂公御代の衆は、「七度浪人せねば誠の奉公人にてなし。七転び八起き。」と、口付けに申し候由。成富兵庫など七度浪人の由。起き上り人形の様に合点すべきなり。主人も試みに仰せ付けらるる事あるべし。

(訳)浪人などしたとき、取り乱すのはばかばかしいかぎりである。勝茂公に仕えたころの人たちは、「七度浪人しなければ真の奉公人とはいえぬ。七転び八起きだ。」と口ぐせに言っていたものだ。成富兵庫などは、七度浪人したそうである。奉公人とは、起き上がり人形だと心得ているべきである。主人も、ためしに奉公人に暇をだしてみるのもいいことである。

○部下をほめること

義経(ぎけい)軍歌に、「大将は人に言葉をよくかけよ。」とあり。組被官(くみひかん)にても自然の時は申すに及ばず、平生にも、「さてもよく仕(し)たり、ここを一つ働き候へ、曲者(くせもの)かな。」と申し候時、身命を惜まぬものなり。とかく一言が大事のものなり。

(訳)義経について書かれた和歌のなかに、「大将は部下にことばをよくかけよ。」とある。お家につかえている者でも、ひじょうのさいはいうまでもなく、ふだんでも、「なんともよくつかえたものだ。ここいちばんがんばって働け、したたか者だなあ。」というとき、身命を惜しまず働くものである。とにかく、その一言が大事なのである。

○人を超えようと思ったら自分を批判させること

人に超越する所は、我が上を人にいはせて意見を聞くばかりなり。並の人は我が一分にて済ます故、一段越えたる所なし。人に談合する分が一段越えたる所なり。何某役所の書付を相談申され候。我等よりはよく書き調ふる人なり。添削を請はるるが人より上なり。

（訳）人を超えようと思ったら、自分の身の上について他人にとかく批判させて、意見をきくのがいちばんよいのである。ふつうの人は、自分の考えだけですましてしまうために、いっそうの飛躍がないのである。人と相談することが、さらに飛躍する根本である。ある人が、自分の書いた役所の書き付けを人に見せて相談したことがある。その人は、自分たちよりは、はるかによく書きととのえる人であった。添削を人にたのむということ自体が、すでに人より上のことなのである。

○二兎を追う者、一兎を得ず

物が二つになるが悪しきなり。武士道一つにて、他に求むることあるべからず。道の字は同じき事なり。然るに、儒道仏道を聞きて武士道など云ふは、道に叶はぬところなり。かくの如く心得て諸道を聞きて、いよいよ道に叶ふべし。

(訳)興味関心が二方面に向くのがわるいのである。ひたすら武士道にはげむことだけで、ほかのことを求めてはいけない。要するに、〈道〉の字はおなじことなのである。ではあるが、儒学や仏法を知ったうえでみたとき、武士道などというのは、道理にかなったものなどとはとうてい言えない。このように考えて、諸道を学べば、いよいよ道理をわきまえることができるようになるのである。

○言動に気をつけること

武士は当座の一言(いちごん)が大事なり。ただこの一言にて武勇顕(あら)はるるなり。即ち治世に勇を顕はすは詞なり。乱世にも一言にて剛臆見ゆと見えたり。この一言が心の花なり。口にては云はれぬものなり。

（訳）武士は、はじめの一言がたいせつなのである。ただこの一言で、武勇があらわれるのである。すなわち、平和な世にあって勇を示すのは、ことばなのである。たとえ乱世であったとしても、一言で剛勇の心がわかると考えられるものである。いわば、この一言が心の花なのである。つまり、口に出しては、とうてい言われないといった性質のものなのである。

○断じて弱気を口に出してはならない

武士は、仮にも弱気のことを云ふまじ、すまじと、兼々心がくべき事なり。かりそめの事にて、心の奥見ゆるものなり。

（訳）武士は、かりそめにも弱音を吐いてはいけないのである。弱気のことを口にしたりすることはけっしてしない、といつでも配慮しておくべきことである。ふとしたつまらない片言から、本心がわかろうというものだ。

○芸ごとに上手といわれる人は、なんの役にもたたない

芸能に上手といはるる人は、馬鹿風の者なり。これは、ただ一偏に貪着（どんじゃく）する故なり、愚痴ゆゑ、余念なくて上手になるなり。何の益（やく）にも立たぬものなり。

(訳) 芸ごとについて上手といわれる人は、とかく馬鹿みたいな者である。これは、ひとつのことにただひたすらに執着するといった愚かさから、よけいなことはいっさい考えないで上手になっただけである。こうした人間は、じつのところ、なんの役にも立たないものである。

○三十歳を過ぎれば、とくに謙虚になること

世に教訓をする人は多し。教訓を悦ぶ人はすくなし。まして教訓に従ふ人は稀（まれ）なり。年三十も越したる者は、教訓する人もなし。されば教訓の道ふさがりて、我儘（わがまま）なる故、一生非を重ね、愚を増して、すたるなり。道を知れる人には、何とぞ馴れ近づきて教訓を受くべき事なり。

(訳) 世間一般、教訓を述べる人は多いが、逆に教訓をよろこんで聞く人はすくない。まして、教訓をよく理解して実践する人はまず稀である。年齢も三十を過ぎた者には、教訓をしてくれる人もいない。教訓されることもまったくなくなり、わがままになるから、一生愚行をかさね、つまらぬことをかさねていってだめになるのである。だから、道理を知っている人には、なんとかなれ親しんで、教訓をうける必要があろうというものだ。

○名誉と富に執着すること

名利薄き士は多分えせものになって人をののしり、高慢にして益にたたず、名利深き者には劣るなり。今日の用にたたざるなり。

(訳) 名誉と富に執着のない者は、おおかたつまらない人間になって人をののしり、高慢で役に立たず、ついには名誉と富に執着する人間に劣ってしまうものである。いまの役に立たないものだ。

○初対面のつつましさでつき合うこと

諸人一和(いちわ)して、天道に任せて居れば心安きなり。一和せぬは、大義を調へても忠義にあらず。朋輩と仲悪しく、かりそめの出会ひにも顔出し悪しく、すね言のみ云ふは、胸量狭き愚痴より出づるなり。自然の時の事を思ふて、心に叶はぬ事ありとも、出会ふ度毎に会釈よく、他事なく、幾度にても飽かぬ様に、心を付けて取り合ふべし。また無常の世の中、今の事も知れず、人に悪しく思はれて果すは、詮なき事なり。但し、売僧、軽薄は、見苦しきなり。これは我が為にする故なり。また人を先に立て、争ふ心なく、礼儀を乱さず、へり下りて、我が為には悪しくとも、人の為によき様にすれば、いつも初会の様にて、仲悪しくなることなし。婚礼の作法も、別の道なり。終を慎む事始の如くならば、不和の儀あるべからざるなり。

（訳）多くの人がみんな一致して、天地自然の道理にしたがって生活していれば安心なものである。一致して親しみなごむ心のない者は、たとえどんなにりっぱなことをいったとしても忠義ではない。仲間たちと仲がわるく、ふとした出会いにもいやな顔をしたり、ひがみっぽいことだけを言ったりするのは、せまい考えの愚かさからはじまるものである。いざというときのことを考えて、得心できず、いやな感じをもっていても、その人と出会うたびに愛想よく挨拶し、なんど会っても飽きないように努力し、心してつき合うべきである。

だが、そのように努力しても、無常な世であれば、現在のことすらどうなるやらわからず、人にわるく思われて終わるのは仕方のないことだ。ただ、悪憎や軽薄な人間のようにふるまわないことだ。彼らは見ぐるしいかぎりである。これは、利己的で、自分のためにしかものごとをしないからである。

また人をさきに立て、相争う気持ちもなく、礼儀ただしくし、謙遜して、自分のためにはわるいことでも、人のためを思って配慮すれば、いつもはじめて会ったときのようで、仲がわるくなることもない。婚礼の作法も同様で、座になれるにつれて気がゆるみ、終わりごろつい失敗するものだ。

馴れしたしむようになっても、はじめて会ったころのように、慎みの心をもって接すれば、仲たがいなど起こりはしないものである。

○交情の相手は一生に一度

式部に意見あり、若年の時、衆道にて多分一生の恥になる事あり。心得なくしては危ふきなり。云ひ聞かする人が無きものなり。大意を申すべし。貞女両夫にまみえずと心得べし。情は一生一人のものなり。さなければ野郎かげまに同じく、へらはり女にひとし。これは武士の恥なり。「念友のなき前髪縁夫もたぬ女にひとし。」と西鶴が書きしは名文なり。人がなぶりたがるものなり。念友は五年程試みて志を見届けたらば、此方よりも頼むべし。浮気者は根に入らず、後は見離す者なり。互に命を捨つる後見なれば、よくよく性根を見届くべきなり。くねる者あらば障ありと云ふて、手強く振り切るべし。障はとあらば、それは命の内に申すべきやと云ひて、むたいに申さば腹立て、なほ無理ならば切り捨て申すべし。また男の方は若衆の心底を見届くること前に同じ。命を抛ちて五六年はまれば、叶はぬと云ふ事なし。尤も二道すべからず。武道を励むべし。爰にて武士道となるなり。

(訳)式部という人のことばである。若いときには、男色のことで、多くは一生の恥になるようなことが起こる。それについての心得がなくては危険なのだが、言いきかせる人がない。そこで、ここにその概略を述べることにしよう。

その道(男色)にあっても、貞女は両夫にまみえずとの心得が必要で、交情の相手は一生にひとりでなければならない。でなければ、男娼や、浮気女とおなじになる。これは武士にとって恥といえる。「言いかわした相手のいない若衆は、許婚者のない娘とおなじである。」と井原西鶴が述べているのは名言で、そうしたものには、人はからかい半分に接したくなるものだ。

年長の相手についてては、五年ほどつき合って、その気持ちを見届けたなら、こっちからたのむようにするがよい。浮気者は心底からのつき合いはなく、のちには見はなしてしまうものである。たがいにいのちを捨て合う間柄であれば、よくよくその心根を見届けなければならない。もし、ほかに関係をせがむものがあったら、「さしさわりがある。」といって、きびしく振り切るべきだ。「なぜか。」といわれたら、「そんなことはいのちのあるうちにいえるか。」といって、無理むたいにいうものなら立腹して斬り捨てるがよい。また若い相手については、若衆の心底を見届けるべきことはまえにおなじである。いのちがけで五年、六年もたてば、思いがかなわないということはない。

もっとも、男色、女色のふたまたをかけてはならない。また男色をしているあいだも、ただ武道にははげむことだ。そうすれば、男色もまた武士道にかなうのである。

○知恵分別を捨てること

四十歳より内は、知恵分別を除け、強み過ぐる程がよし。人により、身の程により、四十過ぎても強みなければ響きなきものなり。

(訳) 四十歳まえは、知恵分別に流されず、気力じゅうぶんで強みすぎるくらいのほうがよい。人により、身分によっては、四十を過ぎても、内心の強みがなければ迫力がなく、何事も成就できないものである。

聞書第二

○若いうちは苦労があったほうがいい

「奉公人の禁物は、何事にて候はんや。」と尋ね候へば、「大酒・自慢・奢（おごり）なるべし。不仕合せの時は気遣ひなし。ちと仕合せよき時分、この三箇条あぶなきものなり。人の上を見給へ、やがて乗気さし、自慢・奢が付きて散々見苦しく候。それ故、人は苦を見たるものならでは根性すわらず、若き中（うち）には随分不仕合せなるがよし。不仕合せの時草臥（くたぶ）るる者は、益（やく）に立たざるなり。」と。

（訳）「奉公人にとって、やってはいけないことはなんでしょうか。」と聞いたところが、つぎのような答えがあった。「大酒、自慢、ぜいたくであろう。不運のときはいっこうにかまわない。すこし幸運だったりすると、以上の三つの項目は命とりになりがちだ。

他人の身の上をみなさい。ちょっとうまく行っていると、しだいに調子づいて、自慢、ぜいたくがちとなって、まったく見苦しいかぎりである。だから、人は苦しいめにあった者でなかったら、根性がすわらないもので、若いうちは、とかく苦労の多いほうがいい。だいたい、苦労が多く不運のとき、疲れてしまうような人間は、役に立つものではないからだ。」

○恋の極限は、「忍ぶ恋」である

(前略)この前、寄り合ひ申す衆に咄(はな)し申し候は、恋の至極は忍恋と見立て候。逢ひてからは恋のたけが低し、一生忍んで思ひ死(じに)する事こそ恋の本意なれ。歌に

恋死なん　後(のち)の煙にそれと知れ　つひにもらさぬ中(なか)の思ひは

これこそたけ高き恋なれと申し候へば、感心の衆四五人ありて、煙仲間と申され候。

(訳)(前略)このまえ集まってこられた人たちに話したのは、恋の究極の姿は、忍恋ではないかということである。出会ってからでは、恋の内容は程度の低いものになってしまう。一生忍耐して思い死にすることが恋の本質であろう。歌に

恋死なん　後の煙にそれと知れ　つひにもらさぬ中の思ひは

というのがある。この歌の境地こそ、もっとも風情のある恋というものであろう、といったところ、感心した人が四、五人いて、この歌の「後の煙にそれと知れ」をとって、煙仲間といわれたそうである。

○まず、相手の気質を見抜くこと

人に出会ひ候時は、その人の気質を早く呑み込み、それぞれに応じて会釈あるべき事なり。その内、理堅く強勢の人には随分折れて取り合ひ、角立たぬ様にして、間に相手になる上手（うはて）の理を以（もつ）て云ひ伏せ、その後は少しも遺恨を残さぬやうにあるべし。これは胸の働き、詞（ことば）の働きなり。何某（なにがし）へ和尚（おしよう）出会（であひ）の意見。口達（こうたつ）あり。

（訳）人と話し合ったりするときは、その人の気質を早くのみこんで、それぞれの場合に応じた応対をすべきである。たとえていえば、理屈っぽく鼻っぱしらの強い人には、せいぜいこちらから折れてつきあい、角の立たないようにしながら、そのうち相手の理屈の上をゆく道理をつかって言い伏せ、そのあとはすこしもしこりを残さないようにすべきである。ここがつまり、胸の働き、ことばの働きというものである。

（略）

○好人物は、人生の落伍者になる

結構者はすり下り候。強みにてなければならぬものなり。

（訳）好人物は人におくれをとるものだ。バイタリティー（強み）にあふれている人間でなくてはならない。

○上役飼育法

内気に陽気なる御主人は随分誉め候て、御用に越度なき様に調へて上げ申す筈なり。御気を育て申す所なり。さて又、御気勝、御発明なる御主人は、ちと、御心置かれ候様に仕懸け、この事を彼者承り候はば何とか存ずべしと思召さるる者になり候事、大忠節なり。斯様の者一人もこれなき時は、御家中御見こなし、皆手揉みと思召され、御高慢出来申し候。上下に依らず、何程善事をなし候ても、高慢にて打ち崩し候なり。右のあたりに眼のつく人なきものなり。求馬、吉右衛門などは確かに見知らせ申して置きたる者どもなり。吉右衛門は病中にも隠居後も、事により御相談なされ候由に候。

有難き御事に候。成りにくき事とばかり存ずる故成らず候。十年骨を砕き候へば、しかと成る事に候。覚えある事に候。一国一人の重宝なれば、成りたく思はぬは腑甲斐なき事なり。先づ仕寄は信方・喬朝の如きものなり。疎まれては忠を竭す事叶はず。ここが大事なり。大かたの人の見つかぬ所なり。その後少しづつずめかせ申して置く迄なり。

（訳）おだやかで明るい性格のご主人に対しては、せいぜいほめあげて、仕事に失敗のないように準備をしてさしあげる必要がある。つよいご気性にお育てするためだ。ところで、勝気で切れ者のご主人には、一目置かれるようにしむけ、「このことをあの者が聞けば、なんと思うであろうか。」と思われるようにするのが、大きな忠節なのである。このような家臣がひとりもいないときは、家中みなへつらい追従する者ばかりだとお考えになって、慢心が生じることになる。ご主人のほうではどれほどよいご政道を心がけても、慢心からすべて失敗に終わってしまうことになりかねない。しかしながら、こういうことに気づく人はすくないものだ。

相良求馬（光茂に仕えた）とか、原田吉右衛門（勝茂、光茂、吉茂三代に仕えた）などという人は、こうした点に気をくばって、殿様にその存在を知られていた者どもであった。原田吉右衛門には、彼が病気のあいだも隠居したのちも、ことによっては相談されていたという。ありがたいことだ。このようになるには、むずかしいことだと考えるから、かえってできないものなのだ。十年間粉骨砕心努力すればりっぱになれることは、私にも身におぼえがある。一国にひとりという重宝な存在になることなのだから、成りたいと思わないような者はふがいなしだといえる。

まず見習うべきは、板垣信方（武田信玄の重臣）、秋元喬朝（幕府老職）のような人であろう。もっとも、主人からうとまれてしまっては、忠義をつくすことはできない。このところが大事なことで、大方の人には気づかれぬところである。すこしずつわかっていただくようにしむけていくことだ。

○一念、一念とかさねて一生

端的只今の一念より外はこれなく候。一念一念と重ねて一生なり。ここに覚え付き候へば、外に忙しき事もなく、求むることもなし。この一念を守つて暮すまでなり。皆人、ここを取り失ひ、別にある様にばかり存じて探促いたし、ここを見付け候人なきものなり。さてこの一念を守り詰めて抜けぬ様になることは、功を積まねばなるまじく候。されども、一度たどりつき候へば、常住に無くても、もはや別の物にてはなし。この一念に極り候事を、よくよく合点候へば、事すくなくなる事なり。この一念に忠節備はり候なりと。

（訳）けっきょくのところ重要なのは、現在の一念、つまりひたすらな思いよりほかにはなにもないということである。一念、一念と積みかさねていって、つまりはそれが一生となるのである。このことに思いつきさえすれば、ほかにいそがしいこともなく、さがし求めることも必要なくなり、ただこの一念、つまり、ひたすらな思いを守って暮らすだけである。

しかし、だれでもこのことを忘れて、別になにかあるようにばかり思ってさがし求めているので、このような点に気づいた人はいないのである。

ところで、この一念をとおしてついには迷わぬようになるのは、多くの年月を経ないとできないことである。しかしながら、一度そうした境地にたどりつけば、つねにそうした考えをもっていなくても、もはや別のものではないのだ。この一念にきわまったことを、よくよく理解しさえすれば、混乱がすくなくなるのである。この一念にこそ、忠節が備わっているものと考えてよい。

○昔はよかった、となつかしがってばかりいてはいけない

時代の風と云ふものは、かへられぬ事なり。段々と落ちさがり候は、世の末になりたる処なり。一年の内、春ばかりにても夏ばかりにても同様にはなし。一日も同然なり。されば今の世を、百年も以前のよき風に成したくても成らざる事なり。されば、その時代時代にて、よき様にするが肝要なり。昔風を慕ひ候人に誤あるはここなり。合点これなき故なり。又当世風ばかりを存じ候て、昔風を嫌ひ候人は、かへりまちもなくなるなりと。

(訳) 時代風潮は変えることのできないものである。しだいに世情がわるくなっていくのは、末世になってきた証拠だろうか。

しかし、季節にしたって春や夏ばかりということはないし、一日にとっても同様である。であれば、いまの世の中を、百年も昔のよい時代とおなじようにしようと思っても無理なことだ。その時代その時代に応じて、よくなるように努力することがたいせつなのである。

昔風のことをなつかしがってばかりいる人がまちがうのは、こうした点が理解できないせいである。

そうかといって、現代風のことばかりをよいと思いこんで、昔風をきらう人は、思慮浅く、うわっつらだけの人だといえる。

○なにごとの修行も、大高慢と反省との両方が必要である

武勇と少人(しょうじん)は、我は日本一と大高慢にてなければならず。道を修行する今日の事は、知非便捨(ちひべんしゃ)にしくはなし。斯様にわけて心得ねば、埒明(らち)かずとなり。

(訳) 武勇に関しても、若ものの修行についても、自分は日本一の人物だという大高慢の心をもっていなければならない。

また逆に、道を修行する今日ただいまのことは、わるいと知ったらすみやかに捨ててしまうにかぎる(つまり、たえず反省を積みかさねることだ)。このように分けて考えなかったら、かたがつかない。

○チャンスを逃がすな

謙信の、「始終の勝などといふ事は知らず、場を迦(はづ)さぬ所ばかりを仕覚えたり。」と申され候由。これが面白き事なり。(後略)

(訳)上杉謙信が、「必勝のこつなど知らない。ただ、チャンスをとらえて逃がさないことだけを会得した。」と申されたそうである。これはおもしろいことばである。

(後略)

○病気になったら禁欲せよ

病気を養生するといふは、第二段に落つるなり。むつかしきなり。仏家にて、有相(うそう)について沙汰(さた)するが如く、病気以前に病気を切断することを、医師も知らぬと見えたり。これは、我確(しか)と仕覚えたり。その仕様は、飲食、婬欲(いんよく)を断って、灸治間(きゅうじま)もなくする、この分なり。我は老人の子なる故、水すくなしと覚え候。若年の時、医師などは、「二十歳を越すまじく。」と申され候に付、「適々(たまたま)生れ出で、御奉公も仕届けず相果て候ては、無念の事に候、さらば生きて見るべし。」と思ひ立ち、七年不婬したるが、病気終(つひ)に発(おこ)らず今迄存命仕(つかまつ)り候。薬飲みたる事なし。又小煩ひなどは、気情にて押したくり候。今時の人、生れつき弱く候処に、婬事を過す故、皆若死をすると見えたり。たはけたる事なり。医師にも聞かせて置きたきは、今時の病人を半年か一二年か不婬させ候はば、自然と煩ひは直るべし。大方虚弱の性なり。これを切り得ぬは腑甲婁なき事なり。

（訳）病気になってから養生するというのは、あまり賢明なことではない。病気になってから病気をなおすということは、たいへんにむずかしいことなのである。世間でいう仏教の因果応報にてらせば、不養生をすれば病気になるのはあたりまえの話で、病気以前に病気を断ち切る必要を医者も知らないとみえる。

このことは、わたしがたしかに体験して知ったことである。その方法というのは、飲食、性欲を断ち、ひまさえあればお灸をすえること、このことである。わたしは親が年をとってから生まれた子であったため、水がすくないと思われたものである。若いころ、医者などは「二十歳までのいのちでしょう。」といわれるものだから、「たま生をうけ、ご奉公も果たさないうちに死んでしまうのは、いかにも残念なことだ。よし、それならひとつ生き抜いてみせよう。」と思い立ち、七年間交わりを断ったところ、ついに病気にもならず、いままで生きながらえてきた。その間、くすりものんだことがない。また、少々の病気などは、気力でなおしてしまったものである。

いまどきの人は、生まれつき虚弱な体質のところへもってきて、過淫にすぎるためにみな若死してしまうようだ。ばかげたことである。

医者にも聞かせておきたいことは、いまどきの病人を、半年間か一、二年のあいだ禁欲させれば、病気など自然となおるものだということである。だいたいにおいて、いまどきの人は意志薄弱にすぎる。禁欲するぐらいのことができないのでは、だらしないといわれても仕方あるまい。

○仕事に関しては、大高慢で、死に狂いするくらいがいい

武士たる者は、武勇に大高慢をなし、死狂ひの覚悟が肝要なり。不断の心立て、物云ひ、身の取廻し、万づ綺麗にと心がけ、嗜むべし。奉公かたは、その位を、落ち着く人によく談合し、大事のことは構はぬ人に相談し、一生の仕事は、人の為になるばかりと心得、雑務方を知らぬがよし。

(訳) 武士である以上、武勇に関しては大高慢で、死に狂いするくらいの覚悟が必要である。つね日ごろの考え方、ものの言いよう、身のこなしなど、すべて綺麗にしようと心がけて、つつしむべきである。

奉公の仕方は、そのよしあしを、安心できる人によく相談し、たいせつなことは、その事に関係のない人に相談をもちかけ、一生の仕事は、人のためになることばかり

を考え、よけいなことは知らないほうがよい。

○「水増せば船高し」

「水増されば船高し。」といふことあり。器量者又は我が得方の事は、むつかしき事に出会ふほど、一段すすむ心になるなり。迷惑がるとは、いかい違ひぞとなり。

（訳）「水増せば船高し。」ということわざがある。つまり、難事にさいしてその人の能力はきわ立つというものである。才徳のある人や、自分の得意のことは、むずかしいことに出会うほど、いっそう張りきるものである。迷惑がるのとでは、たいへんな違いであるということだ。

○さても、むなしい世の中ではないか

道すがら考ふれば、何とよくからくつた人形ではなきや。糸をつけてもなきに、歩いたり、飛んだり、はねたり、言語迄も云ふは上手の細工なり。来年の盆には客にぞなるべき。さてもあだな世界かな。忘れてばかり居るぞと。

(訳)道すがら考えたのだが、人間とは、またなんとよくできた人形ではないか。糸をつけてもいないのに、歩いたり、飛んだり、跳ねたり、ものまでいうのはいかにも手のこんだ作り方である。けれど、来年の盆には、死んでお客様にでもなってしまうだろう。さてもむなしい世の中ではないか。人びとは、そうしたことは、とんと忘れてしまっているのだ。

○一瞬、一瞬を、真剣勝負のつもりですごすこと

権之丞殿へ咄に、唯今がその時、その時が唯今なり。二つに合点してゐる故、その時の間に合はず。唯今御前へ召し出だされ、「是々の儀を、そこにて云つて見よ。」と仰せつけられ候時、多分迷惑なるべし。二つに合点して居る証拠なり。唯今がその時と、一つにして置くといふは、終に御前にてもの申し上ぐる奉公人にてはなけれども、奉公人となるからは、御前にても、家老衆の前にても、公儀の御城にて公方様の御前にても、さつぱりと云つて済ます様に、寝間の隅にて云ひ習ふて置く事なり。万事かくの如きなり。准じて吟味すべし。槍突く事も、公儀を勤むる事も同然なり。斯様にせり詰めて見れば、日来の油断、今日の不覚悟、皆知らるるかとなり。

（訳）常朝先生が、権之丞殿（常朝の養子）へ話されたことだが、「ただいまがそのとき、そのときがただいま」（いざというときと平常とはおなじこと）である。これを二つの別々のことに理解しているから、いざというときに間に合わず、急に殿の御前（ごぜん）へ召し出されて、「これこれのことについて、そこでいってみよ。」といわれれば、たぶん閉口するだろう。つまり、「そのとき（いざというとき）」と、「ただいま（いまが、いざというとき）」を別々に考えている証拠なのである。「ただいまがそのとき」と、ひとつとして理解するというのは、たとえ、終生、殿の御前でものを申しあげるような身分の者ではないとしても、奉公人となったからには、殿の御前でも、家老衆のまえであっても、ご公儀、将軍の御前であってすら、きっぱりといってのけることができるように、寝室の隅ででも練習しておくべきだ、ということを意味するのである。

この心がけはすべての事に通じる。それにしたがって考えられるがよい。武芸にはげむことも、公務を果たすことも同様である。このようにせんじつめてみれば、日ごろの油断、覚悟不足がすべて明瞭になってくるのではなかろうか。

○なまじ、悔みのことばは逆効果である

不慮の事出来て動転する人に、笑止なる事などといへば、尚々気ふさがりて物の理も見えざるなり。左様の時、何もなげに、却(かへ)ってよき仕合せなどと云ひて、気を奪ふ位あり。それにとり付いて、格別の理も見ゆるものなり。不定(ふじよう)世界の内にて、愁ひも悦びも、心に留(とど)むべき様なきことなり。

(訳)突発事故が起こってあわてている人に、なまじ、「お気の毒に……。」などといえば、いっそうあわてふためいて、物の道理がわからなくなってしまうものだ。このようなときには、なにごともなかったように、「かえってよかったじゃありませんか。」などといって気をそらしてみることだ。そうこうしているうちに、その人も、ものの道理がわかってくるものである。定まったことのないこの世にあっては、悲しみもよろこびも、一心にとどめておく必要はないのだ。

○男のたしなみ

写し紅粉(こうふん)を懐中したるがよし。自然の時に、酔覚(よひざめ)か寝起などは顔の色悪しき事あり。斯様の時、紅粉を出し、引きたるがよきなりと。

(訳)化粧用の頬紅などをふところに入れておくとよい。ときによると、酔いざめか寝起きのさいなど顔色のわるいことがある。このようなとき、いざというときのために、頬紅をとり出して付けたほうがよいものである。

○物事の正しいまとめ方

談合事などは、まづ一人と示し合ひ、その後聞くべき人々を集め一決すべし。さなければ、恨み出来るなり。又大事の相談は、関係なき人、世外の人などに、潜かに批判させたるがよし。贔負なき故、よく理が見ゆるなり。一くるわの人に談合候へば、我が心の利方に申すものに候。これにては益に立ち申さず候由。

(訳) 相談ごとなどは、まず関係のある一人と話し合い、その後意見をきくはずの人たちを集めて決定すべきである。そうでなかったら、恨みに思う人がきまってでてくるものである。

また、たいせつな相談ごとは、関係のない人、世俗外の人などに、ひそかに批判させるのがよい。えこひいきがないから、よくものの道理がわかるものである。類縁の人に相談したりすると、自分(相談した人)にとって有利な言い方をしがちである。これでは役に立つものではないということだ。

○自分の目的の障害になるなら、神も否定せよ

神は穢を御嫌ひなされ候由に候へども、一分の見立てこれありて、日拝怠り申さず候。その仔細は、軍中にて血を切りかぶり、死人乗り越え乗り越え働き候時分、運命を祈り申す為にこそ、兼々は信心仕る事に候。その時穢あるとて、後向き候神ならば詮なき事と存じ極め、穢も構ひなく拝み仕り候由。

(訳) 神はけがれをおきらいなされるそうだが、いささかの考えがあって、毎日の拝礼をかかさずにいる。

そのわけは、戦場で血を浴びたり、死人を足げにして働いているときの武運長久を祈るために、つねづね信心していたのである。そのとき、けがれが身についていると いってそっぽを向いてしまうような神であったら、仕方のないことだと思いきって、けがれのいかんにかかわらず拝礼している、とのことであった。

○「人間一生、まことにわずかの事なり」

人間一生誠に纔の事なり。好いた事をして暮すべきなり。夢の間の世の中に、すか

ぬ事ばかりして苦を見て暮すは愚なることなり。この事は、悪しく聞いては害になる事故、若き衆などへ終に語らぬ奥の手なり。我は寝る事が好きなり。今の境界相応に、いよいよ禁足して、寝て暮すべしと思ふなり。

(訳)人間の一生なんてみじかいものだ。とにかく、したいことをして暮らすべきである。つかの間ともいえるこの世にあって、いやなことばかりして苦しいめにあうのは愚かなことである。

もちろん、このことはわるく解釈しては害になることなので、若い人などには、けっきょくのところ話すことのできなかった秘伝といったものである。私は寝ることが好きだ。現在の境遇に応じて、家にとじこもり、寝て暮らそうと考えている。

○おのれの才能を知ることはできない

少し眼見え候者は、我が長けを知り、非を知りたると思ふゆゑ、猶々自慢になるものなり。実に我が長け、我が非を知る事成りがたきものの由。海音和尚御咄なり。

(訳)すこし眼が見える者は、自分がどの程度の人間か、あるいはおのれの欠点もよく自覚していると思うから、いよいよ自慢がこうじるのである。ところが、自分の器量、欠点を知るということは、じつにむずかしいものである、ということだ。海音和尚の話である。

○人の威厳ということ

打ち見たる所に、その儘、その人々の丈分の威が顕はるるものなり。引き嗜む所に威あり、調子静かなる所に威あり、詞寡き所に威あり、礼儀深き所に威あり、行儀重き所に威あり、奥歯噛して眼差尖なる所に威あり。これ皆、外に顕はれたる所なり。畢竟は気をぬかさず、正念なる所が基にて候となり。

(訳) 見た感じでそのまま、その人の身についた威厳があらわれるものである。精進努力するところに威厳があり、もの静かなところにも、寡黙なところにも、礼儀正しいところにも、行儀のゆきとどいたところにも、奥歯をかんで眼光けいけいたるところにも、それぞれ威厳というものはある。これらはすべて外観にあらわれたところである。ひたすら思いつめ、本気であることが、つまりは基本になるのである。

○成り上がり者と馬鹿にしないこと

数馬利明申し候は、茶の湯に古き道具を用ふる事をむさき事、新しき器綺麗にして然るべしと申す衆あり。又古き道具は、しをらしき故用ふるなどと思ふ人もあり。皆相違なり。古き道具は、下賤の者も取り扱ひたる物なれども、よくよくその徳ある故に、大人の手にも触れらるるものなり。徳を貴みてなり。奉公人も同然なり。下賤より高位になりたる人は、その徳ある故なり。然るを、氏もなき者と同役はなるまじ、昨今まで足軽にてありし者を頭人には罷り成らず、と思ふは以ての外の取り違ひなり。もとより、その位に備はりたる人よりは、下より登りたるは、徳を貴みて一入崇敬する筈なり。

(訳) 中野数馬の話であるが、「茶道で古い道具を用いることはむさ苦しい、新しい器のほうがきれいでいい。」などという人がいるということだ。また一方では、「古い道具はもっともらしいから使うのだ。」などと考える人もあるが、どれも違っている。古い道具は下賤の者も取り扱った品ではあるが、古いなりに品格が備わっているものだから、高貴な人の手にも渡るようになったのである。みなその品の徳を尊んでのことである。奉公人にしてもおなじで、下賤から身を起こし高い身分にまでなった人は、その人にそれなりの徳が備わっていたからなのである。それなのに、氏素姓のはっきりしない奴といっしょの仕事はいやだとか、いままでは足軽であった者を自分の上司とするわけにはいかない、などと思うのは、もってのほかの考えちがいである。本来、はじめからその地位にあった人よりは、下々からのぼった人は、それだけの徳があるのだから、なおいっそう尊敬しなければならない。

○上役にけむたがられるようであれ

主人にも、家老・年寄にも、ちと隔心に思はれねば大業はならず。何気もなく腰に付けられては働かれぬものなり。この心持これある事の由。

（訳）主人にも、家老や年寄りにもすこしぐらいけむたがられるようでないと、大きな仕事をなしとげることはできない。いつでも安心され、腰巾着にされているようでは、かえって働けないものである。こうした考えをもっていることだ。

○沈黙は金なり

人事を云ふは、大なる失なり。誉むるも似合はぬ事なり。兎角我が丈をよく知り、我が修行を精出し、口を慎みたるがよし。

(訳)人のことをあれこれいうのは大きな損失である。といってまた、ほめるのも似合わないことである。とにかく、身のほどをよく知って、自分自身の修行に努力し、口をつつしむのがよい。

○急ぐな、あわてるな!

徳ある人は、胸中にゆるりとしたる所がありて、物毎いそがしきことなし。小人は、静かなる所なく当り合ひ候て、がたつき廻り候なり。

(訳)徳をそなえた人は、胸中にゆったりとしたところがあって、何事によらずいそがしそうな様子が見えない。小人物は、静かなところがなく、人とも争い、がたつきまわるものである。

○見事な負け

公事沙汰、又は言ひ募ることなどに、早く負けて見事な負けがあるものなり。相撲の様なるものなり。勝ちたがりて、きたな勝ちすれば、負けたるに劣るなり。多分きたな負けになるものなりと。

(訳) 詮議事、あるいは何かの議論などで、早く負けて見事な負けということがあるものだ。相撲のようなものである。何がなんでも勝とうと、きたない勝ちをしめれば、それは負けることより劣るものだ。けっきょくは、きたない負けになってしまうものである。

○クビ切り覚悟でぶち当たれ

権之丞殿へ話に、今時の若き者、女風になりたがるなり。結構者・人愛(にんあい)の有る者・物を破らぬ人・柔(やはら)なる人と云ふ様なるを、よき人と取りはやす時代になりたる故、矛(ほこ)手(て)延びず、突っ切れたる事をならぬなり。第一は身上(しんしょう)を抱き留むる合点が強き故、大事とばかり思ひ、心縮まると見えたり。その方も我が知行にてなく、親の苦労して取り立てられたる物を、養子に来て崩し候てはならぬことと大事に思はるべきが、それは世上の風なり。我等が所存は格別なり。奉公する時分、身上の事などは何とも思はざりしなり。素(もと)より主人のものなれば、大事がり惜しむべき様無き事なり。我等生世(しょうぜ)

の中に、奉公方にて浪人切腹して見すれば本望至極なり。奉公人の打留めはこの二箇状に極りたるものなり。その中きたな崩れは無念なり。おくれ・不当介・私欲・人の害になる事などはあるまじき事なり。その外にては崩すを本望と思ふべし。かくの如く落ち着くと、その儘矛手延びてはたらかれ、勢ひ格別なり。

(訳)先生が、養子権之丞殿に話されたことである。

昨今の若者は、とにかく女性的になってしまったらしい。性格のよい人、愛想のいい人、角の立たない人、ものやわらかな感じの人などを、よい人と噂し合う時代になってしまったから、すべてにわたって消極的で、思い切ったことができかねるのだ。第一は、ただ保身ばかりを考えるから、精神が萎縮してしまう。おまえだって、自分でかちとった俸禄ではなく、親の苦労によって得たものを、養子にきて駄目にしたのでは申しわけないと思うだろうが、それは世上とおりいっぺんの考えなのだ。

私の考えはまた別である。奉公しているあいだは、身上のことなど考えもしなかった。はじめから俸禄などというものは主人のものであれば、大事がり惜しむべき性質のものではない。むしろ生きているうちに、浪人し切腹させられるようなことがあれば、かえってのぞむところである。奉公人の終着点は、この二つのことに決まっている。

ただし、つまらないことで家を崩すのは残念なことである。たとえば、人におくれをとったり、奉公人としてゆきとどかなかったり、私欲から失敗したり、人に迷惑をかけたりすることがあってはならぬ。そのほかのことでは、崩れ去るのはかえって本望と思うべきである。このように決心すると、すべてに気力充実し、はつらつとして働けるものである。

○無断で人を訪ねてはならない

何方(いづかた)へ咄などに行くには、前方(まへかた)申し通じてより行きたるがよし。何分(なにぶん)の隙入(ひまいれ)あるべきも知らず、亭主の心懸りの所へ行きては、無興(ぶきよう)のものなり。総じて呼ばれねば行かぬに如(し)くはなし。心の友は稀(まれ)なるものなり。呼ばれても心持入るべし。稀の参会ならではしまぬものなり。慰講(なぐさみこう)は失(しつ)多きものなり。又問ひ来る人に、たとへ隙入るとも不会釈すまじき事なり。

(訳)どこかへ話などしに行くためには、先方に対して話をとおしてから行くのがよい。どんなとりこみがあるかもしれないし、先方の主人が心配ごとのあるようなところへ行きあわせては、興ざめなものである。まあ、さしずめ、招かれないところへは行くことはない。心からの友というものは稀なものだからだ。たとえ招かれたとしても、気持ちが沈んでしまったりするのが普通だ。まして、まれな集会で会うぐらいでは、なかなか打ちとけないものだ。それに、総じて、なぐさめごとで集まるような場では、失敗が多いものである。

また、たとえ、とりこみ中に、だれがたずねてこようとも、会わないようなことはいけない。

○刀は納めてばかりいると、さびがつく

或人云ふ、「意地は内にあると、外にあるとの二つなり。外にも内にもなきものは、益(やく)に立たず。たとへば刀の身の如く、切れ物を研ぎはしらかして鞘(さや)に納めて置き、自然には抜きて眉毛にかけ、拭ひて納むるがよし。外にばかりありて、白刃(はくじん)を常に振廻す者には人が寄りつかず、一味の者無きものなり。内にばかり納め置き候へば、錆(さび)もつき刃も鈍り、人が思ひこなすものなり。」と。

(訳)ある人のいうには、「意地は内にあるものと、外にあるものと二種類ある。だから、外にも内にもないものは役に立たない。たとえば、意地とは刀の抜き身のようなもので、よく研ぎだして鞘におさめておいて、たまには抜いて眉のたかさにさし上げ、拭いて納めておくのがよい。

反対に、外にばかり出しておいて、白刃をしょっちゅう振りまわしている者には人は近寄らず、仲間がいない。

ところが、内にばかり納めておくと錆がつき、刃も駄目になって、人が馬鹿にするものである。」と。

○人生、あわててはいけない

皆人気短(きみじか)故に、大事を成らず仕損ずる事あり。いつまでもいつまでもとさへ思へば、しかも早く成るものなり。時節がふり来るものなり。今十五年先を考へ見候へ。さても世間違(ちが)ふべし。未来記などと云ふも、あまり替りたる事あるまじ。今時御用立つ衆、十五年過ぐれば一人もなし。今の若手の衆が打つて出ても、半分だけにても有るまじ。段々下り来(きた)り、金払底すれば銀が宝となり、銀払底すれば銅が宝となるが如し。時節相応に人の器量も下り行く事なれば、一精出(ひとせいだ)し候はば、丁度御用に立つなり。十五年などは夢の間なり。身養生さへして居れば、終(つひ)には本意を達し御用に立つ事なり。名人多き時代こそ、骨を折る事なり。世間一統に下り行く時代なれば、その中にて抜け出るは安き事なり。

（訳）だれでも、短気な心を起こして、大事なことを仕損じてしまうことがある。まだまだと思ってさえいれば、逆に早く望みを達せられるものなのである。つまり時節が当来するのだといえよう。いま仮りに、十五年さきのことを考えてみなさい。世間の様子はちがってしまっていることだろう。未来記などというものもあるが、あまり変わったことは書いてないようだ。いま役に立つ人も、十五年過ぎれば、ひとりもいなくなってしまうかもしれない。現在の若い人にしても、半分ぐらいしか残ってはいまい。だんだん世の中が駄目になって、金が底をついてしまえば、銀が宝となり、銀がなくなってしまえば、銅が宝となるようなものである。ときの流れとともに、人間の能力も下降していくことなのだから、ひとつふんばって努力するなら、十五年過ぎてからちょうどよく役に立つようになるものである。それにしても十五年などというのは、夢のまのようなもので、からだに気をつけてさえいれば、ついには本願を達成してお役に立つようになる。名人の多い時代はかえってたいへんなのである。世間一般が駄目になっていく時代であれば、そのなかから抜きんでることはたやすいはずである。

○老人のくりごと、と軽蔑しないこと

功者の咄等聞く時、たとへ我が知りたる事にても、深く信仰して聞くべきなり。同じ事を十度も二十度も聞くに、不図胸に請け取る時節あり。その時は格別のものになるなり。老の繰言と云ふも功者なる事なりと。

（訳）ふかく経験をつんだ人の話などを聞くときには、たとえ自分の知っていることでも、ありがたく拝聴すべきである。おなじことを十度も二十度も聞くうちに、ふと、なるほどと胸にうなずくときがあるものである。そのときは、ふつうのときとちがい、とくべつの意味をもってくるだろう。

老人のくりごとといって相手にしないが、ふかく経験をつんだ人だと考えるべきである。

○徹底して落伍者となること

すてものも尽したる者にてなければ用に立たず、丈夫窮屈ばかりにては、働きなきものなりと。

（訳）落伍者も、徹底して、落伍し、辛酸をなめ尽くした者でなければものの役に立たないものである。

また、融通がきかないかわりに、その人間にまかせればまちがいがないことだけが取得の人間も、ものの役に立たないということである。

○西行、兼好は卑怯者

愚見集に書き付け候ごとく、奉公の至極は家老の座に直り、御意見申し上ぐる事に候。この眼さへ着け候へば、余の事捨てものなどはゆるし申し候。扨々人はなきものに候。斯様の事に眼の着きたる者は一人もなし。たまたま私欲の立身を好みて、追従仕廻る者はあれども、これは小欲にて終に家老には望みかけ得ず。少し魂の入りたる者は、利欲を離るると思ひて踏み込みて奉公せず、徒然草・撰集抄などを楽しみ候。兼好・西行などは、腰ぬけ、すくたれ者なり。武士業がならぬ故、抜け風をこしらへたるものなり。今にも出家極老の衆は学びても然るべく候。侍たる者は名利の真中、地獄の真中に駈け入りても、主君の御用に立つべきとなり。

（訳）『愚見集』（常朝が、養子権之丞のために記した奉公の心得）にもしたためたとおり、奉公人の終局のつとめは、家老の職にあって、ご意見を申しあげることである。このことがわかりさえすれば、ほかのことはどうでもよいのだが、といって、わかる人はいないもので、まったくのところ、この点に着目した人は皆無なのである。たまたま私欲から栄達をのぞんで、追従するものはいるけれど、これはちいさな欲望で、家老までをのぞむものではない。すこしでもものわかった人物は、私利私欲などもたない、と称して徹底した奉公はしない。『徒然草』『撰集抄』などをたのしむばかりである。しかし私の考えでは、兼好（『徒然草』の著者）、西行（平安末・鎌倉初期の歌僧。武士であったが、無常を感じて出家した）などは腰抜けの卑怯者に過ぎない。武士のつとめができかねるから、隠者を気どってみただけなのだ。現在でも、たとえば坊主や老人などはこうしたものを読むのもよかろうが、侍ともあろうものは、出世競争のまっただなか、利害打算のうずまく地獄のなかにさえ飛び込んで、主君の役に立つべきである。

聞書第三〜聞書第十一

○調子にのりすぎないこと

直茂公、「当時気味よき事は、必ず後に悔む事あるものなり。」と、御意なされ候由。

（聞書第三）

（訳）直茂公が、「そのとき愉快なことは、かならずあとになって後悔することがあるものだ。」と申されたそうである。

○ときには、部下のミスを、見て見ぬふりをすること

白石御狩の時、大猪御打ちなされ候。皆々走り寄り、「さてさて珍しき大物を遊ばされ候。」と見物仕り候処、猪不図起き上り、駈け出し候につき、見物の衆うろたへ逃げ申し候。鍋島又兵衛、抜打ちにのばし申し候。その時、勝茂公、「ごみがするぞ。」と仰せられ、御顔に袖御かぶせなされ候。これは、うろたへ候衆を御覧なさる

まじき為にて候由。（聞書第四）

（訳）勝茂公が、白石というところで狩りをなさったとき、大猪を打ちとられたことがある。みんなで走り寄って、「いやいや珍しい大物を打ちとられましたな。」などといって見物していたところが、猪がやにわに起き上がって走りだしてしまった。見物をしていた連中はびっくりして、うろたえ騒いで逃げだした。そのとき、鍋島又兵衛が抜き打ちざまに猪を仕止めたが、勝茂公は、「埃が立つわ。」といわれ、顔を袖でおおわれた。これはうろたえ騒ぐ連中を見ないようにするためであった。

○四通りのサラリーマン

勝茂公兼々御意なされ候には、奉公人は四通りあるものなり。急だらり、だらり急、急々、だらりだらりなり。急々は申し付け候時もよく請け合ひ、事をよく調ふる者にて候。これは上々にはあり兼ぬるものなり。福地吉左衛門などは急々に似たる者なり。だらり急は申し付け候時は不弁にて、事を調へ候事は手早くよく埒明かすものなり。中野数馬どもにてあるべし。急だらりは申し付け候時は成程埒明き候が、事を調ふる事は手間入りて延引する者なり。これは多きものなり。その外は、皆だらりだらりな

りと仰せられ候由。(聞書第四)

(訳) 勝茂公がかねがね話されていたことだが、奉公人には四種類ある。「急だらり」「だらり急」「急々」「だらりだらり」である。「急々」というのは、用事をいいつけたとき、よく請けあって、事をすみやかに処理する者のことで、これは最良だが、そんなにいるものではない。福地吉左衛門などは、「急々」にちかい者だ。「だらり急」というのは、申しつけたときはよく理解できていないようでも、事を処理するのは手っとり早く、手ぎわのよい者のことである。中野数馬などそのひとりだ。「急だらり」は、申しつけたときはよい返事をするが、事を処理する段になると、なかなか手間がかかり、仕事もながびくものだ。これは多い。その他(ほか)はみな、「だらりだらり」であるとおっしゃられたそうだ。

○勝つとは、自分に勝つことだ

成富兵庫申され候は、「勝ちといふは、味方に勝つ事なり。味方に勝つといふは、我に勝つ事なり。我に勝つといふは、気を以(もつ)て体に勝つ事なり。かねて味方数万の士(さむらひ)に、我に続く者なき様に、我が心身を仕なして置かねば、敵に勝つ事はならぬな

り。」と。（聞書第七）

（訳）成富兵庫という人が、つぎのようなことをいっていた。「勝つということは、すなわち味方に勝つことである。味方に勝つということは、われに勝つことである。われに勝つというのは、自分の気力をもってものごとを処理すること、（つまり、強烈な意志力で自分をとりまく不利な条件を有利に変えていくこと）である。

つね日ごろ、味方数万の侍のなかに自分につづくものがないほどに、自分の心身をきたえておかないと、敵に勝つことはできない。」と。

〇つまらない仕事のときこそ、はげむこと

生野（いくの）織部（おりべ）教訓の事　常朝師年若き時分、御城にて寝酒の時、織部殿申され候は、「奉公の心入れの事申せと将監（しょうげん）殿申され候故、心安（こころやす）に付て申し候。我等は何も存ぜず候。さりながら首尾よく召し使はるる時は、誰も進みて奉公をするなり。下目（しため）な役になり候時、気味をくさらかす事あり。これが悪きなり。勿体（もったい）なきことなり。唯今、結構の役仕る者に、水汲（く）め、食（めし）たけと仰せ付けられ候時、すこしも苦にせず、一段すす

みてするがよしと、我は覚えたり。年若くて而も気過ぎに見え候間、心入れ入るべし。」と申され候由。（聞書第七）

（訳）生野織部殿（光茂のときの家老）が、つぎのようなことをいわれた。常朝先生が若いころ、城中で寝酒を飲んでいると、「奉公についての心得をあなたに言ってやってくれと、将監殿（中野将監、常朝の親戚）がいわれるので、気安い間柄ゆえ申しましょう。私などはなにも知らないが、調子よく勤められるときは、だれでもすすんで奉公するものです。逆につまらぬ役どころになったりすると、気分をくさらしてしまうことがある。これがわるいのです。もったいないことです。

第一の奉公の心得というのは、いま、いい役についている者に、水を汲め、飯をたけ、などといいつけられたとき、すこしも苦にせず、いっそう張りきって仕事にはげむことだ、と私は考えています。あなたなどは、若年ではあり、気性もすぐれすぎておられるので、こうした点をじゅうぶん気をつけてほしいものです。」ということであった。

○切れ者は、おごりやすい

久納市右衛門儀御加増の事　市右衛門儀別けて御用に相立ち候に付て、御加増下されたく思召され候へども、主水殿と市右衛門と仲悪しく候故、御遠慮にて御加増等をも仰せ付けられず候。然る処、市右衛門宅に御成り遊ばさるる筈に候段、主水殿これを承られ、勝茂公へ、「市右衛門御用に相立ち申し候間、この節加増下され然るべき」由申し上げられ候。御大慶大方ならず、則ち市右衛門召し出され、御加増下され、「主水心入直り、安堵至極に候。礼に参り候へ。」と御意なされ候。市右衛門悦び、直に主水殿へ参られ候て、御加増の御取成しの御礼、且又、御成りに付て、薄縁三百枚下し置かれ、辱く存じ奉り候由、深々礼謝申し達せられ候。聞次ぎの者、主水殿へ申し達し候処、則ち面談にて、「其方奉公に精出し候故、御加増の儀は申し上げ候。殿御成りに付て、薄縁遣はし候。曾て其方と仲直り候儀は罷り成らず候。則ち罷り帰らるべく候。重ねて此方へ参らるまじく候。薄縁取り返し候様に。」と申し付けられ、則ち取り返し申し候。その後、主水殿死去前に、市右衛門を招き、「其方事御用に立つ人にて候へども、自慢、奢の心これあり候。それ故、我等一生仲悪しく致し、其方を押へ置き申し候。我が死後に、其方を押へ申す人これなく候。随分譲り候て、御用に立ち申され候様に。」と申され候。市右衛門感涙を流し、罷り帰り候由。（聞書第八）

（訳）久納市右衛門のご加増のことについてである。

市右衛門はとり立ててものの役に立つというので、勝茂公はかねてから、ご加増なされようとのお考えであったが、勝茂公の義兄にあたる主水殿（鍋島茂里）と市右衛門の仲がわるかったので、ご遠慮なされてご加増のことなどおいいつけにならないでいた。ところが、市右衛門の家に勝茂公がお出かけになることが決まったとき、主水殿はこれを聞かれて、勝茂公へ、「市右衛門は役に立つ侍ですから、このさい、ご加増なされるのが当然でありましょう。」と申し上げられた。勝茂公はたいそうのおよろこびようで、すぐ市右衛門を呼び出されてご加増を申し渡され、「主水の心がなおってたいへん安心した。礼に行くがよい。」と申された。

市右衛門はよろこんで、ただちに主水殿の屋敷へ出向き、ご加増のおとりなしのお礼と、勝茂公がお出かけになられるというので、敷き物三百枚をくださった感謝の気持ちとを、ふかい謝意をこめて申し述べた。取次ぎの者が主水殿へこのことを申し上げたところ、お会いになって、

「そのほうが奉公に熱心なのでご加増のことを助言したのじゃ。また、殿がお出かけになるというので、敷き物もつかわした。しかし、それはそれ、そのほうと仲直りしたおぼえはさらさらない。とっとと帰るがよかろう。二度とここへやってくるではな

いぞ。敷き物は返すように。」といわれ、敷き物をすぐに取り返された。

その後、主水殿が亡くなるまえに市右衛門を呼んで、「じつをいうと、そのほうはたいへんな切れ者だが、どうも慢心、奢りの気持ちがあるように思えた。だから私は一生仲わるくして、そのほうを押えておいたのじゃ。私が死んでからは、そのほうを押える人物はいなくなるのだから、せいぜい謙虚な気持ちになって、お役に立ってくれるように。」

といわれた。市右衛門は感激の涙をながして帰っていったとのことである。

〇あがらない法

大事の場へ出で候時は、耳のビクに唾を付け、鼻より大息を突きのべ、在り合ふ器物を打ち伏せ、出で申し候。秘事にて候なり。又上気いたし候時、耳塚に唾を付くれば、則ち醒むるなり。(聞書第十)

(訳) たいせつな場所へ出るときは、耳たぶに唾をつけ、深呼吸して、あり合わせの品を突き倒しながら出かけることだ。これは秘法といえよう。また、上気したとき、耳に唾をつければ、たちまち元へ戻るものである。

○論争の心得

公事(くじ)双論(そうろん)など取合ひ候とき、「追って了簡(りょうけん)いたし、御返答仕るべく。」と申したるがよし。たとひ一通り申したりとも、「猶(なほ)又了簡いたすべき。」と、末を残したるがよし。扨その一通りを、誰にも彼にも語りて、談合評定したるがよきなり。知恵ある人よりは、この方に知恵を付けられ、案外の理を持ち申し候。無智の人にも聞かせ置き候へば、世間の沙汰この方の理になり申し候。又下人下女等にも聞かせ置き、「向ふより斯(か)くの如く申され候に付、我等はかやうに申すべく。」と度々その云ひ様を申し候へば、口馴れ詞(ことば)続きよく、理も見え申すものに候。一分(ぶん)にて、計らず取り合ひ候へば、多分迦(はづ)れあるものなり。兎角(とかく)、何事をも談合したるがよし。知恵ある人これなき時は、妻子にも談合仕り候へば、我が知恵も出来申すものにて候。斯様の事年の功にてなければならぬものなりと村如水咄(むらじょすいはなし)にて候なり。云ふべきことは、始めに云ひかけたるがよし。後に云へば、云ひわけの様になり申し候。又間々には、蹴爪(けづめ)を入れたるがよし。又十分に云ひたる上にては、向様(むかふさま)の為になる様に、物教へなど仕たるが、一段上の勝なり。これが道にてもあるべしとなり。(聞書第十)

(訳) 訴訟の論争などで言い争うときには、「よく考えたうえで、あらためてご返事をいたします。」といったほうがよい。たとえひととおりのことを述べたあとでも、「なおよく考えてみましょう。」と、まさかのときの余地を残しておくのがよい。

そして、そのいきさつを、だれかれ区別なく話し、相談をもちかけてみることがいちばんである。知恵者からは、思いもかけない知恵を授けられるものだし、無知の人にでも話しておきさえすれば、それがいつかは世評にのぼって、事が有利に展開するものである。

また、さらに下男下女などにも話しておいて、「むこうがこのようにいってきたから、私のほうはこう言おうと考えている。」などと、たびたび口に出していっていると、その場にのぞんで口が慣れてうまいことばがつづき、いかにも道理にかなっているようにみえてくるものだ。ところが、自分ひとりの考えでいきなり言い合ったりすると、だいたいにおいて失敗しやすいものだ。とにかく、何事にかぎらず話し合うことがのぞましい。仮りに知恵者が見当たらないときは、妻子にでもよいから話してみると、自分なりの知恵が浮かんでくるものだ。このようなことは、年の功がなければできないものだと、村如水も話していた。

相手にいうべきことは、はじめにこちらから言ってしまうのがよい。あとからいえば、いいわけのように聞こえてしまう。

また、話の合い間、合い間には、蹴爪（にわとりのうしろの爪）を掛けるように釘（くぎ）を打っておくとよい。

そして、自分の意見をじゅうぶんに相手に納得させたからには、相手のためにもなるように、いろいろのことを教えてやるようにすれば、さらに見事な勝ちっぷりといえよう。これが道理にかなったやり方である。

○いかにもやり手らしく見える人間は損である

見懸利発に見え候者は、よき事をしても目に立たず。人並の事しては不足の様に諸人存じ候。打ち見たる所柔和なる者は、すこし振よき事候へば、諸人褒美仕り候事。（聞書第十一）

（訳）一見して聡明そうにみえる者は、りっぱなことをしても、それがしごく当然のことのように思われるし、といって人とおなじようなことをしたのでは、多くの人がもの足りなく思うものである。逆に、ちょっと見たところ、おっとりして柔和そうな人は、すこしでも目立ったことがあれば、多くの人がほめてくれるものなのだ。

○寡黙であること

物言ひの肝要は言はざる事なり。言はずして済ますべしと思へば、一言もいはずして済むものなり。言はで叶(かな)はざる事を、言葉寡(すくな)く道理よく聞え候様云ふべきなり。むさと口を利き、恥を顕(あら)はし、見限らるる事多きなりと。(聞書第十一)

(訳)ものをいう行為に関していちばんいいのは、だまっていることである。とにかく言わないで済まそうと思えば、一言もいわないで済むものである。言わなければならないことを、ことばすくなく筋道立ててわかるように話すべきである。なんとなく口をきいて、恥をさらし軽蔑(けいべつ)されることが、あんがい多いものだ。

○毎朝、まえもって死んでおけ

必死の観念、一日仕切りなるべし。毎朝身心をしづめ、弓、鉄砲、鑓(やり)、太刀先にて、すたすたになり、大浪に打ち取られ、大火の中に飛び入り、雷電に打ちひしがれ、大地震にてゆりこまれ、数千丈のほきに飛び込み、病死、頓死(とんし)等の死期の心を観念し、朝毎に懈怠(けたい)なく死して置くべし。古老曰(いは)く、「軒を出づれば死人の中、門を出づれば

敵を見る。」となり。用心の事にあらず、前方死して置く事なりと。(聞書第十一)

(訳)必死の思いは、日々あらたにするよう努むべきである。朝ごとに身心をしずめ、弓、鉄砲、槍、あるいは刀で切り裂かれ、大浪にまかれ、大火の中に飛び込み、雷に打たれ、大地震にあい、高い崖から落ちたり、病死、頓死などといった、さまざまな死にざま、末期のことを考え、毎朝、ゆるみなく、死んでおくべきである。古老のことばに、「軒を離れれば死人のなか、門を出れば敵に会う。」というのがある。これは用心のことではなく、まえもって死んでおく心構えのことなのである。

○本物の出世の条件

立身加増早き時は、諸人敵になり、のうぢなし。遅き時は諸人味方となり、その上の幸は慥かに見ゆるなり。畢竟、遅速共に諸人うけがひ候時は、危事なし。諸人催促いたす時の幸が、のうぢあるなり。(聞書第十一)

(訳)出世や昇給の早いときには、多くの人が敵にまわり、かえって立身のためには無意味なことになってしまう。逆に出世がおそいときには、人びとが味方となって、将来、より以上の幸運が確実にやってこようというものだ。けっきょくのところ、早くてもおそくても、みんなが得心できるようなものであるなら心配はない。みんなから催促されるような形でつかんだときの幸運こそ、本物なのである。

○大仕事をするには、小さな欠点、ミスなど気にしないことだ

大行(たいこう)は細瑾(さいきん)をかへりみずと云ふことあり。奉公無二の忠節（この事、くはしく愚見集にあり）を尽し候へば、余の事は大形にしても、間には我儘(わがまま)いたづらも苦しからず候。何もかも落度なく揃(そろ)へ候へば、却(かへ)つて見にくき処(ところ)あり。多分肝要の所がうすくなり候。大業をする者は、ゆづがなければ成らざるものとなり。身に大節ある時は小過ありといへども、不幸とせずともこれあるなり。（聞書第十一）

（訳）「大事業をするには、わずかな欠点など気にしないことだ。」ということばがある。奉公に対してただひたすらに忠節を尽くせば、ほかのことは大まかであっても、たまにはわがままやいたずらがあったとしてもかまいはしない。なにもかもととのっているということは、かえってみにくいものである。えてして、かんじんのところが

ぼやけてしまうからである。大きな仕事をなしとげる者は、欠点がなければできないのだという。身に大きな節操をもっているときは、すこしぐらいのまちがいがあってもかまいはしないのである。

○天下国家を治めることは、なにもむずかしいことではない

天下国家を治むると云ふは、及ばざる事、大惣の事の様なれども、今天下の老中、御国の家老年寄中の仕事も、この庵にて咄し候事より外はこれなきものなり。これにて成程治めてやる事なり。結局あの衆は、心元なき事あり。国学知らず、邪正の吟味せず、生れつきの利発まかせにて、諸人這ひ廻り、おぢ畏れ、御尤もとばかり申すに付、自慢私欲出来るものにて候なりと。（聞書第十一）

（訳）天下国家を治めるということは、一般の人にはとうていおよびもつかない、たいへんなことのように考えられがちだが、現在、幕政の中心にある老中や藩の家老、年寄などの仕事も、私がこの草庵でいままで話してきたことのほかには、これといってとくべつのやり方をしているわけではない。私の話した心得によって、国をりっぱに治めていけるものなのである。

けっきょくのところ、あの人びとにはなにか安心できないところがある。お国の伝統も知らず、正邪の判断もせず、ただ生まれつきの才気にまかせて仕事をしているからである。みんなが権力をおそれてへいつくばり、ご無理ごもっともなどと頭を下げてばかりいるので、いよいよ慢心と私欲にとらわれていくものだからである。

解説

田中美代子

『葉隠入門』は、昭和四十二年、三島由紀夫自決の三年前に書かれた。その後、現在まで広く読みつがれてロング・セラーとなっているが、そのこと自体、進行しつつある現代文明の病状の深刻化を、暗に告げているように思われる。何故ならこれは、著者が現代社会の病根を深く洞察、診断し、身をもってその打開に心を砕いた、体験的、臨床的な処方箋だからである。あらゆる幻想が剝落したのちに、万人にとって最後の現実である「死」を凝視したこの書物は、道徳書としてであれ、人生論としてであれ、また三島由紀夫の文学的思想的自伝としてであれ、種々な読み方のできる不思議な書物となっている。

現代文化の特徴は、従来まで人々を人生に向かって鼓舞していた様々な幻想が（どんな理想も規範もイデオロギーも）ことごとく潰え去ったことであろう。かつてモラルの基礎をなしていた絶対の観念が失われ、人間はすべての意匠を剝ぎとられた等身大の、赤裸かの、即物的自然的な生命に直面することを強いられている。これが、現代社会を侵している救いがたいニヒリズムの原因であろう。人生いかに生くべきか、というかつての求道的倫理的な問題は、今では日進月歩する科学的な生活改良や健康法や姑息な処世の技術や、要するに瑣末な日常生活への関心にとって代られた。現代は博学多識と、細分化された「ハウツウもの」の全盛時代である。
「われわれは西洋から、あらゆる生の哲学を学んだ」。しかし生活自体への関心は、つまるところ利殖と保身と享楽の追求におわる。与えられた「生の哲学」によって十全に人間性の自然を解放し、富益を求め、奢侈と飽食と放埒に身をゆだねたのちに、やがては等しく老衰と死にきわまる運命にさだめられている。生とはついに死に到る不治の病だとすれば、病んでいるのは「生の哲学」そのものだ、といえないことはない。

民族、国家、社会など、ある共同体が他文化の侵蝕を受けると、人々の生活の支柱をなしていた掟や慣習がすたれ、道徳的精神的に荒廃して、その共同体は徐々に崩壊、解体してゆくことが知られている。生の充実にどれほど力を注ごうと、生それ自身の自壊作用をくいとめる手立てはありえない。

三島由紀夫は、敗戦後の日本人の魂の危機と「生の哲学」の行きつく果てを、いち早く予感した、というべきであろう。

「……いわゆる戦後文学の時代は、わたしに何らの思想的共感も、文学的共感も与えなかった。ただ、わたしと違った思想的経歴を持ち、わたしと違った文学的感受性を持つ人たちの、エネルギーとバイタリティーだけが、嵐のようにわたしのそばを擦過していった。わたしはもちろん自分の孤独を感じた」

思想とはおそらくこんな場合、真に孤独な魂を支えるに足るものでなければならないだろう。書物は世につれ、世は書物につれて、そのときどきに数々のベスト・セラーが産み出されてゆくが、ひととき熱病のようにもてはやされ、たちまちかえりみられなくなる思想の流行とは一体何であろうか。血肉と化した思想は、集団心理に付和雷同するものでも、次々に目移りして、着たり脱いだりできるファッションのようなものでもなく、むしろ時代思潮の波打際に置忘れられて一層自若たる強靭(きょうじん)さを秘め、反時代的な姿勢を貫いて独立独歩することに本領を発揮すべきものであり、そうした逆説的なあり方こそ、時代病に対する最も果敢な抵抗となる筈である。

こうして彼は『葉隠』との千載一遇の出会いを語る。死を中核に据えたこの哲学は、ともすると禍々(まがまが)しい危険な書物として人々におそれられたが、実質はむしろ力を内に撓(たわ)めた公明な人格に裏づけられ、闊達自在(かったつじざい)な日々の心構えを説いたものである。まず物事の諸原因をきわめ、生の本質を洞察し、そこから生活に即した具体的な実践を導き出した稀有な人間通の書だといってもよい。

「武士道といふは、死ぬ事と見付けたり」という一句は、周知のように『葉隠』全体を象徴する言葉として、きわめて強烈な印象を与えるものである。しかしこれは、とかく間違えられやすいように、人々を無謀な死に向かって駆り立てているわけでも、何か破壊的な思想を語ったものでもない。それはまた「大雨の感と云ふ事あり。（中略）初めより思ひはまりて濡るる時、心に苦しみなし、濡るる事は同じ」と、さらりと言い捨てられた一節に通じている。

山本常朝はまず終局の一点を先取りし、あとは現在只今の与えられた生の刻々を充塡し、全人生を一つの完結した思想として涵養したのである。このとき死を頂点として生の全体像を包摂したこの書物は、完全な小宇宙をなして、みごとに大宇宙に照応する。この実際家が時折、意外に詩的な夢想家の一面を垣間見せるのは不思議ではない。死に狂いをもって、天下を呑む心意気を持つ武士はまた、飄逸なからくり人形として、複眼的に、冷静にみつめられている。

かくて、ここに語られる言葉の一つ一つが、三島文学を読み解く隠された鍵となっているのは、いうまでもないことであろう。およそ哲学も宗教も「死」に源を発するといっても過言ではないが、それにしても『葉隠』における死のとらえ方は一種独特のものであり、この書は三島文学の根幹をなす死生観を端的に語ったものとして興味は尽きない。

死はふつう、生きとし生けるものにとって否定的な、避けがたい受苦であり、悲哀と不幸の極まりと考えられている。しかし、三島由紀夫は芸術の秘鑰(ひやく)たる死の錬金術師だった。それはたとえばあのマクベスの魔法使いが「きれいはきたない、きたないはきれい」という奇妙な呪文(じゆもん)をとなえて、世界をぐるりと逆回転させてしまうように、死の意味を変容させ、人々に生の認識の力学を変えるように奨めているのである。「『葉隠』の死は、何か雲間の青空のようなふしぎな、すみやかな明るさを持っている」

それは死を敗北としてではなく、完成の頂点としてとらえ、生の第一歩を踏み出すのに、一等大きなもの、絶対のものに身をあずけてしまう、という英知の晴れやかさである。武士において死は、能動的意志的にえらびとるものであり、激しい行動による生の充実の極限に位置するものであった。

武士とは、いうまでもなくすでに滅び去った身分階級であり、過去に生きた人間精神の化石にすぎないといえば、いえる。けれども人々はなぜかその化石に、いのちを吹きこまずにはいられないのだ。武士とは何か。それは、生きながら自己の一身を賭けて全人格、全人間性を象徴するものにほかならなかった。単なる技能や才覚、つまり自己の部分や断片を提供して社会にかかわるといった専門家であってはならなかった。それは結局人間個人を社会の歯車として、断片化することに通じている。故に一身一命をなげうって全体に奉仕し、そのことによって、全人的な精神を代表する至高の人間像でなければならなかったのである。

ここに山本常朝の夢想したユートピアがあり、これはそのまま三島由紀夫の「理想国の物語」に重なってゆく。だが、これはあくまでも主観的な行動哲学であって、政治哲学ではない、とことわっているように、三島由紀夫は、戦時中に流行した国家主義的な滅私奉公などを信奉しているわけではない。国家は相対的なものであり、「死という絶対の観念と、正義という地上の現実の観念との齟齬が、いつも生ぜざるをえない」という冷徹な認識こそ、その「理想国」の存立の要件だったからである。

さらに、「どんなに強いられた状況であっても、死の選択によってその束縛を突破するときは、自由の行為となる」というとき、これはすでに特別な英雄的な死、何らかの非常な死について言挙げしているのではなく、孤独の中に打ち捨てられてある個人個人の平凡な死、何らかえりみられることのない人間の死全体をも救い出しているように思われる。万人の死への道程は、人間精神によるその克服を目指して、いつか至高の自由の王国をひらくものとなるのではないだろうか？

しかしなお、ここで死をめぐってなされる様々な考察は、単なる道徳書や人生訓の域をこえて、やはり三島由紀夫独自のものであり、運命的な自殺にいたる論理の道筋には、常人のうかがい知れぬ謎めいた要素がつきまとっている。どれほど言葉を尽くしても、彼がなぜそんなにも行動に憧れ、死へのあくことのない渇仰を語るのか、という疑問は、読者の頭をはなれない。

もしかするとそれは結局、三島由紀夫が、生きながら、たえず死を味わうことを強いられる、完璧な芸術家だったからではないのだろうか。日々の制作の途上で、一瞬一瞬死に向かって昇りつめ、死の緊張を持続しながら孤独な日々の苦行に耐える、そうした営みがあまりに強烈な充足感をもっていたとすれば、作品の終結とともに訪れる爾余の現実、生の弛緩と曖昧さは、耐えがたい倦怠と疲労をもたらすものとなったのではないだろうか。

例えば、「行動家の最大の不幸は、そのあやまちのない一点を添加したあとも、死ななかった場合である。那須の与市は、扇の的を射たあとも永く生きた」と語るとき、それは行動家に托して、芸術家の秘められた不幸を語っているように思われてならない。実際、芸術制作上の心理は、どんな告白好きの芸術家もあえて語らない秘中の秘である。

三島由紀夫は、何にもまして思索の人、観念の人であった。それ故、その果て知れぬ思念の深海の水圧に耐えかねて、時には自己を軽やかな外気に向かって解き放ちたいと願ったのではないだろうか。その直線的な、一途（いちず）な行動への希求は、彼を自在に泳行せしめている海からの離脱の憧れではなかったのだろうか？

「芸術家や哲学者の世界は、自分のまわりにだんだんにひろい同心円を、重ねてゆくような構造をもっている」

つまり思索者の肉体は、その烈しい精神の酷使や危機や激動にもかかわらず、平静に保たれ、現実の死に直面することから守られている。しかもデモーニッシュな内的世界の体験は一方的に増殖し、膨脹するのである。彼はそうした肉体と精神のアンバランスを、たえず調整する必要にせまられていた、というべきであろう。

そして彼の最期を考えるとき、有限と無限の接点である死の神秘についての次のような考察には、ゆえしれぬ戦慄（せんりつ）をおぼえないわけにはいかないだろう。

「自由意思の極致のあらわれと見られる自殺にも、その死へいたる不可避性には、ついに自分で選んで選び得なかった宿命の因子が働いている」

たしかに「死の形態には、その人間的選択と超人間的運命との暗々裏の相剋が、永久にまつわりついている」のではないだろうか。ゆえにその未知の一点を求めて、私たちの追跡も、熄むことはないのだ。

（昭和五十八年三月、文芸評論家）

この作品は昭和四十二年九月光文社より刊行された。

葉隠入門

新潮文庫　み-3-33

昭和五十八年四月二十五日　発行
平成二十二年三月二十日　四十六刷改版
令和七年四月五日　六十八刷

著者　三島由紀夫

発行者　佐藤隆信
発行所　株式会社 新潮社
郵便番号　一六二―八七一一
東京都新宿区矢来町七一
電話　編集部(〇三)三二六六―五四四〇
読者係(〇三)三二六六―五一一一
https://www.shinchosha.co.jp

価格はカバーに表示してあります。

乱丁・落丁本は、ご面倒ですが小社読者係宛ご送付ください。送料小社負担にてお取替えいたします。

印刷・大日本印刷株式会社　製本・加藤製本株式会社

ISBN978-4-10-105033-1 C0195